De jongen die niet kan dromen

Abonneer u nu op de Karakter Nieuwsbrief.
Ga naar www.karakteruitgevers.nl en:

* ontvang maandelijks informatie over de nieuwste titels;
* blijf op de hoogte van speciale aanbiedingen en kortingsacties;
* én maak kans op fantastische prijzen!

www.karakteruitgevers.nl biedt informatie over al onze boeken,
Nova Zembla-luisterboeken en softwareproducten.

De jongen die niet kan dromen

Vauro Senesi

Karakter Uitgevers B.V.

Oorspronkelijke titel: *Kualid che non riusciva a sognare*
© Vauro Senesi 2007
Oorspronkelijk uitgegeven door Piemme Edizioni,
Casale Monferrato (Italië)
© 2011 Karakter Uitgevers B.V., Uithoorn, by arrangement
with Il Caduceo srl Literary Agency (www.ilcaduceo.it) and
MO Literary Services
Vertaling: Aniek Njiokiktjien/Vitataal
Redactie en productie: Vitataal tekst & redactie, Feerwerd
Zetwerk: Erik Richèl, Winsum
Omslagontwerp: blauwblauw-design | bno
Omslagbeeld: © Corbis Italia

ISBN 978 90 6112 467 2
NUR 302

Voor alle moeders en kinderen

Voor mijn moeder, Ines
Voor mijn kinderen, Fiaba en Rosso

Helemaal zwart.

Een zwart dat zo dicht was dat hij het leek te kunnen aanraken.

Kualid had zijn ogen net opengedaan. Het gebeurde soms dat hij midden in de nacht wakker werd.

Hij wist niet zeker of hij zijn ogen echt had geopend; misschien sliep hij nog en waren zijn oogleden dicht, dan was het daarom zo donker. Hij haalde een arm onder de ruwe deken vandaan en wreef in zijn ogen tot hij voelde dat ze pijn begonnen te doen. Nee, hij was echt wakker en zijn oogleden waren open. Hij deed ze nog verder open, sperde ze even zo wijd open zonder te knipperen dat zijn ogen weer begonnen te branden. Daarna lukte het hem langzaamaan met zijn blik een streepje zwak, bewegend licht te vangen. Het kwam van achter in de kamer, van de deuropening. De deur was niet meer dan een oude zware lap met grijze en blauwe strepen. Af en toe bracht een zuchtje wind van buiten hem in beweging, waardoor dat streepje, dat met de beweging van de stof breder en smaller werd, binnenkwam. Slechts een klein beetje licht, niet veel meer dan een weerkaatsing, omdat het waarschijnlijk een nacht zonder maan was. Of als de maan er wel was, hadden de wolken hem vast verduisterd. Wanneer Kualid in andere nachten wakker werd, projecteerde de stof een echte, duidelijke lichtstrook, niet het flikkerende streepje dat hij nu zag. Dat duidde op een heldere, maanverlichte nacht. Dan was het dus niet nodig om je ogen uit te wrijven of ze open te sperren om zeker te weten dat je wakker was. De strook licht stuitte op de theepot op het kooktoestel, midden in de kamer, en de schaduw van de kromme tuit tekende zich gigantisch groot op de muur af. Kualid verbeeldde zich dat het een slang met een geopende bek was. Hij had hem ook een naam gegeven, de slang: Asmar.

Asmar, de slang van de nachten met de maan, was zijn vriend. Wanneer hij hem op de muur zag, wist Kualid dat hij naar buiten kon gaan om Kabul vanboven te bekijken. Als het winter was, wikkelde hij zich heel goed in zijn twee dekens en langzaam, zonder lawaai te maken, schoof hij de lap van de deur opzij en stapte naar buiten. Hij ging op een grote steen zitten en begon steentjes te gooien richting de stad, die zich uitstrekte in het dal eronder, omgeven door de bergen. De sneeuw op de bergen leek het maanlicht te vangen en daarna omlaag te laten sijpelen op de huizen en het puin. Door het contrast kon je zelfs de rijen zwarte gaten zien van de ramen van de gebouwen die de *shurauì*, de Russen, hadden gebouwd. Het waren de grootste bouwwerken van de stad, grote grijze blokken naast elkaar. Sommige waren door de bombardementen afgebroken, andere stonden nog overeind. Hier en daar kwamen een paar puntjes flakkerend geel licht uit enkele kazernes van de taliban. In de stilte van de nacht kon je het verre gegons van de benzineaggregaten horen. De rest van de stad werd enkel verlicht door de maan en de weerkaatsing van de sneeuw. De maan en de sneeuw verleenden de stad een gelijkmatige kleur, slechts onderbroken door wat schaduwgebieden in een melkachtig maar fonkelend grijs, heel anders dan het doffe bruinrood van het stof dat overdag de overheersende kleur was.

Kualid ging pas weer naar binnen wanneer hij spierpijn in zijn arm kreeg van het steentjes gooien en zijn oogleden weer zwaar van de slaap waren, ervan overtuigd dat hij zodra hij op zijn mat ging liggen iets zou gaan dromen. Hij herinnerde zich zijn dromen bijna nooit en dat maakte hem boos, omdat zijn neef Said er grapjes over maakte: 'Het is niet zo dat je je dromen niet herinnert, je bent gewoon zo dom dat je ze niet hebt, je bent niet in staat ze te hebben,' zei hij tegen hem. Daarna begon hij verhalen te vertellen over koningen en krijgers met scherpe sabels die uiteindelijk altijd hem, Kualid, de keel doorsneden, of over wilde dieren die hem gegarandeerd zouden hebben verslonden. 'Hier,' ging Said verder, 'ik leen je mijn dromen, vind je ze leuk?' En hij begon te lachen, terwijl hij met zijn duim over zijn keel ging en zijn tong uitstak.

Wat een idioot, die Said, hij dacht dat hij hem bang maakte, maar Kualid was nergens bang voor.

Alleen vond hij het erg vervelend dat hij zich zijn dromen niet herinnerde. Zo vervelend dat hij, ook al zou hij dat nooit toegeven, echt bereid zou zijn Saids dromen te lenen. Soms probeerde hij zich 's avonds voordat hij in slaap viel die onnozele verhalen voor de geest te halen om te zien of hij erover kon dromen, maar 's ochtends, bij het wakker worden, vond hij er geen spoortje van terug.

In elk geval was de slang van de nachten van de maan op de muur er die nacht niet en hij nodigde Kualid niet uit om naar buiten te gaan. Buiten was de hemel zeker net zo donker als de kamer. Kualid was absoluut niet bang voor het donker, maar de slaap kwam niet terug om zijn ogen te sluiten en hij wist niet wat hij moest doen.

Bij wijze van afleiding begon hij met een nagel het gat in de muur van gedroogde modder dieper te maken door de kleine stukjes puin tussen zijn duim en wijsvinger tot stof te verkruimelen. Hij deed het zo vaak dat het gat inmiddels lekker diep was: het kon het geheime holletje worden van Asmar, de slang van de nachten van de maan. Dan had hij tenminste een schuilplek wanneer de maan er niet was, dacht Kualid. Daarna stopte hij met het uithollen van het gat in de muur en besloot hij stil te blijven liggen, met zijn ogen wijd open in het donker. Misschien zou de slaap zo komen. Zijn naar het plafond gerichte blik sloot het zwakke streepje licht buiten. Het was volledig zwart.

Je kon dus je ogen goed open hebben en niks zien, of alleen zwart zien. Dat had hij zich een paar dagen daarvoor afgevraagd toen hij een dode talibanstrijder zag.

Kualid was toen op weg geweest naar de bazaar. Zijn grootvader had hem muntjes gegeven, net genoeg om vier mandarijnen te kopen. Een pick-up was met grote vaart aan komen rijden. Hij deed een stofwolk van de onverharde weg opwaaien en stopte plotseling voor een militair kwartier dat omgeven was door een muur en afgesloten was met een ijzeren hek. Echt vlak bij hem. Uit de laadbak waren vijf guerrillastrijders gesprongen, de zwarte tulbanden wit geworden van het stof, kalasjnikovs en zware mitrailleurbanden als ceinturen om hun camouflagejacks gewikkeld. Ze hadden de achterklep van de laadbak van de pick-up geopend terwijl een van hen ondertussen een deurtje in het ijzeren hek wijd openzette, daarna was er uit de bestuurderscabine een andere militair gestapt. Hij had een makarovpistool in een oude Russische koppelriem met glimmende messing gesp gestoken, de hamer en sikkel van de ster weggeschuurd.

'Laat die arme stakker daarachter maar liggen, viespeuken,' had hij met een schorre stem geroepen, 'laten we nu aan Fhami denken.'

De guerrillastrijders waren toen naar de cabine gerend en hadden er een man uit getrokken.

'Rustig aan,' schreeuwde de militair met het pistool in zijn gordel.

De armen van de man lagen wijd over de schouders van de twee guerrillastrijders die hem in zijn zij ondersteunden. Iemand anders hield hem van achteren bij zijn middel vast, alsof hij hem leidde. Hij kon lopen, hoewel zijn benen af en toe doorzakten, alsof zijn knieën het begaven. Zijn hoofd was zo goed en zo kwaad als het ging verbonden en het gaas, dat ook om zijn gezicht was gewikkeld, was doordrenkt van het bloed. Alleen zijn mond was vrij. Hij hield hem halfopen en er kwam, samen met een roodachtig straaltje kwijl, een laag, onregelmatig gejammer uit, dat plotseling ophield om vlak daarna weer te beginnen, als een refrein.

Het groepje was in de kazerne verdwenen en had de laadbak van de pick-up opengelaten. Kualid was toen dichterbij gekomen en keek nieuwsgierig rond. En daar, in de laadbak, lag de dode talibanstrijder.

Zijn lichaam lag met het hoofd naar Kualid toe, zodat hij hem ondersteboven zag.

Zijn bovenlijf was van onderen een mengeling van licht verbrande stof en bebloed vlees geworden, de donkere wirwar liep tot waar zijn benen hadden moeten zitten, maar daar zaten alleen de rafels van zijn broek, die er leeg bij hing. Zijn armen waren langs zijn zij neergelegd, met zijn handpalmen naar beneden. De talibanstrijder had geen tulband. Die was kwijtgeraakt bij de explosie die hem gedood had, of daarna, tijdens het vervoer. Zijn dikke haar en baard leken blond, misschien doordat ze vol fijn, wittig stof zaten. Op zijn gezicht zaten alleen wat donkere vlekjes van reeds gestolde bloedspatten.

Door zijn halfgesloten mond kon je zijn tanden zien.

Maar Kualid concentreerde zich op zijn ogen. Ze waren open en omgeven door een zwart lijntje kajal, van een felgroen dat dof geworden was. Het leek of ze naar iets in de verte of heel dichtbij keken, onbeweeglijk en aandachtig, alsof dat iets van het ene op het andere moment met een vlugge beweging kon wegglippen. Met zijn eigen blik probeerde Kualid het traject van die van de dode te onderscheppen, te volgen, om te zien wat er in de verte was, maar hij raakte direct het spoor bijster, boven de gekartelde omtrek van het puin van een muur, in het onbestemde grijs van de hemel.

Misschien was dat iets dan niet buiten maar *in* de ogen van de dode, dacht Kualid. Daarom, om in de ogen van die man te kijken, had hij zich met zijn armen op de rand van de laadbak gehesen en had hij zijn gezicht naar dat van de uitgestrekte talibanstrijder gebracht. Maar juist op dat moment voelde hij dat hij van achteren werd beetgepakt en dat er hard aan hem werd getrokken.

'Wat ben je aan het doen, ventje? Wil je zien of er iets te stelen valt uit de zakken van deze broeder die voor Allah is gesneuveld? Is dat wat je wilt, lelijke dief?'

De militair die hem had vastgegrepen was dik, zijn baard en haar waren zo zwart als de tulband om zijn hoofd. Hij bleef Kualid door elkaar schudden terwijl hij hem met een hand aan zijn overhemdje vasthield en met zijn andere het gebaar maakte om hem een draai om zijn oren te geven, die echter niet kwam.

De militair bleef dingen schreeuwen die Kualid, verschrikt en verward als hij was, niet kon horen; hij zag alleen zijn mond tussen de dichte baardharen open- en dichtgaan. Het viel hem op dat de man een tand miste, precies vooraan, een zwart gat waaruit af en toe bolletjes spuug kwamen. En hij moest opeens lachen, hij probeerde zich in te houden, maar zijn gelach welde onbedwingbaar uit zijn borst op, met korte onderbrekingen door het voortdurende geruk, dat plotseling ophield.

De soldaat keek hem nu met opgetrokken wenkbrauwen maar ook verbijsterd aan. 'Lach je? Dan ben je een idioot, niet meer dan een arme idioot... maak dat je wegkomt voordat ik je nek breek!'

Kualid besefte nog amper dat de militair hem had losgelaten of hij vloog al door de lucht door de trap die de man hem gaf. Hij maakte een ruwe landing tussen het afgebrokkelde cement van de stoep en de onverharde weg. Zijn knie leek in brand te staan, maar dat verhinderde hem niet om vliegensvlug op te staan en keihard weg te rennen.

De schaafwond op zijn knie had inmiddels een korstje gekregen. Kualid stak zijn hand onder de dekens en begon er kleine stukjes af te krabben als afleiding van de gedachte aan wat die dode talibanstrijder zag. Het lage, onophoudelijke gesnurk van zijn grootvader die in dezelfde kamer sliep, deed hem denken aan het verre gezoem van de benzineaggregaten. Kualid viel uiteindelijk ongemerkt in slaap.

Het was het borrelen van het water dat in de theepot met de kromme tuit op het petroleumstel begon te koken dat de lege dromen van Kualid binnendrong. Het geborrel van het water verving met een steeds sterker wordende toon zijn beeldloze slaap tot Kualid, nadat hij zijn ogen had geopend, naar het silhouet van zijn moeder staarde die naast het kookstel gehurkt zat. Hij stelde zijn blik langzaam scherp en bevrijdde zich daarmee van de restjes slaap die zijn zicht nog wazig maakten.

De kamer was nog altijd in duisternis gehuld, maar de vlammetjes die het zwartgeblakerde metaal van de theepot likten, tekenden een duidelijk spel van licht en donker af op de plooien van zijn moeders boerka en brachten dat vale blauw vluchtig tot leven. Kualid bekeek haar gezicht zonder sluier, die de vrouw omhoog op haar hoofd hield. Zijn moeder had nog zwart haar, een lok streek langs haar voorhoofd, haar hoge jukbeenderen accentueerden haar ingevallen wangen, een schaduw omrandde haar ogen als een lichte make-up, maar het was slechts een teken van een oude vermoeidheid.

Kualid glimlachte naar haar zonder dat hij een glimlach van haar terug verwachtte. Sinds Fahrid, Kualids vader, overleden was, leek de glimlach van zijn moeder met hem te zijn vertrokken. Kualid herinnerde zich niet eens dat hij die glimlach ooit gezien had, en soms, wanneer ze samen buiten waren en zijn moeders gezicht door de stof van de boerka was bedekt, vroeg hij zich af of zijn moeder daaronder stiekem glimlachte.

'Kom, sta op, de thee is bijna klaar,' zei ze met haar lage, enigszins hese stem. Zijn moeder sprak niet veel, alsof haar lippen, die zich niet voor een glimlach openden, zich ook niet gemakkelijk voor woorden openden. Misschien was elke zin daarom voor Kualid als een liefkozing en maakte dat hem vrolijk.

Het gordijn voor de ingang ging opzij en de gebogen figuur van zijn grootvader, die eerder was opgestaan om water te halen, kwam de kamer binnen. Hij droeg een gele plastic jerrycan. Hij schonk een deel van de inhoud in een blikken teil, ging op zijn hurken zitten, dompelde zijn knobbelige handen erin en waste zijn gezicht. Doorzichtige druppels gleden langs zijn grijze baard en verdwenen erin, alsof ze waren opgeslokt.

'Jij bent aan de beurt, vieze snoet!' zei grootvader tegen Kualid, terwijl hij glimlachte en hem een tik gaf. Kualid gooide het water over zijn gezicht en haar. Hij streek over zijn korte, donkerbruine lokken. Hij blies zijn wangen op en blies de lucht eruit, alsof hij de rillingen wilde verdrijven die hem door het contact met het koude water langs de rug liepen. Zijn moeder stond op, pakte de teil en verdween stilletjes in het andere vertrek voor haar wasritueel.

'Goed, laten we thee drinken,' zei grootvader en hij pakte de theepot met de kromme tuit en tilde hem op om de goudgele straal in een glas te laten vallen. Hij vulde er nog een voor Kualid en gaf die aan hem. De heldere stoom die uit de beker opsteeg, vermengde zich met de grijze baard van zijn grootvader.

Grootvader heeft een baard van rook, van gestolde sliertjes rook, dacht Kualid en terwijl hij genoot van de warmte van het glas in zijn handen staarde hij naar zijn grootvader zonder de thee naar zijn mond te brengen.

De oude man ving zijn blik op en zag die voor een vraag aan: 'Nee, Kualid, vanochtend hebben we geen brood. Drink je thee nu die nog warm is, vanavond is er brood, als Allah het wil.'

Maar Kualid bleef denken aan de baard van rook: het leek of elk sliertje onder de huid van zijn grootvaders gezicht door ging en die met een rimpel optilde. 'Grootvader,' vroeg hij hem toen, 'jij bent oud, maar hoe oud ben je?'

'Vraag je me hoeveel jaar ik heb geleefd? Heel veel, Kualid, zo veel dat ik me niet meer herinner wanneer ik geboren ben.'

'En ik grootvader, hoeveel jaar heb ik geleefd?'

De oude man begon te lachen en het web van rimpels rond zijn ogen werd nog dichter. 'Zoveel jaar kan dat nog niet zijn! Je bent nog maar een kind, een jongetje! Je hebt misschien tien of elf jaar geleefd. Wat maakt jou het uit hoeveel? Je wordt geboren, je bent kind, dan jongeman en tot slot oud als ik en dan, als Allah het wil, komt de dood, als die niet eerder is gekomen, zoals je vader is overkomen.'

Grootvader bracht het glas naar zijn mond en nam een grote slok thee, alsof hij een bittere herinnering wegslikte.

Kualid wilde hem net vragen of hij op een dag ook een baard van rook zou hebben, maar van buiten kwamen de verre stemmen van de muezzins, die samenkwamen, uit elkaar gingen en elkaar dan weer hervonden, waarbij ze net als grootvaders rimpels een web vormden.

'Het is tijd voor het ochtendgebed, Kualid, we mogen de genadige Allah nooit vergeten, we zijn in zijn handen.' Grootvader rolde een klein roodbruin kleedje met franjes uit dat zo versleten was dat de ingeweven siermotieven niet meer te onderscheiden waren. Hij knielde en begon te bidden. Hij hief zijn bovenlichaam en armen op en bracht ze weer omlaag, gericht naar de muur waaraan een schilderijtje hing met een vergeeld papier waarop in Arabische tekens een vers uit de Koran stond. Het schilderijtje gaf de richting van Mekka aan en was er altijd geweest, in elk geval in Kualids herinnering.

Misschien, dacht Kualid, is het ouder dan grootvader.

Bij het bidden mompelde grootvader iets met halfopen lippen, maar zo zacht dat alleen een lichte beweging van zijn baardharen erop wees dat hij aan het bidden was.

Kualid, die naast hem was neergeknield en bad terwijl hij zijn gebaren herhaalde, begon ook het gemompel na te doen, maar alleen het geluid, want hij kon de woorden niet vatten. Het is vast een oud gebed dat Allah erg waardeert, dacht hij, terwijl hij met zijn voorhoofd de vloer raakte.

Grootvader was bezig het gebedsmatje weer op te rollen, zijn moeder was teruggekeerd om haar thee te drinken, toen van buiten de stem van Said hard en vol klinkend als de roep van een patrijs binnendrong.

'Muis, kom naar buiten, we moeten gaan. Schiet op, luie Muis!'

Kualids bovenste twee snijtanden staken een beetje vooruit en daarom had Said hem die bijnaam gegeven. Muis. In het begin was Kualid er boos om geworden en had hij Said met een knalrood gezicht alle beledigingen die hij kon bedenken naar zijn hoofd geslingerd. Maar daarna was hij eraan gewend geraakt. En eigenlijk was Kualid nu stiekem best wel trots op zijn bijnaam.

Pas nadat hij zijn moeder en grootvader gedag had gezegd, haastte hij zich naar buiten om naar zijn neef te gaan. Hij had een zware oude jas aangetrokken van een inmiddels onbestemde kleur. De jas was hem een paar maten te groot, zijn handen verdwenen in de mouwen en de panden kwamen bijna tot zijn enkels, maar het was een prima bescherming tegen de laatste kou van het seizoen.

'Dat werd tijd!' verwelkomde Said hem. Hij was iets ouder dan Kualid en er verschenen al donkere haartjes op zijn bovenlip. Said was er trots op: 'Kijk,' zei hij vaak tegen Kualid, 'ik heb al een baard. Ik ben een man, geen kind zoals jij!'

En Kualids reactie, zinspelend op de zwarte, aan elkaar gegroeide wenkbrauwen van zijn neef: 'Inderdaad, alleen is je snor op je voorhoofd gegroeid in plaats van onder je neus!'

Said had zich gewikkeld in een deken die ook zijn hoofd bedekte. Met rode wangen van de kou stond hij op hem te wachten, leunend op de lange houten steel van een schop en met zijn voet op het verroeste blad. 'Kom, Muis, ga je schep halen, want we moeten een heel stuk lopen!' zei hij, en de damp sloeg uit zijn mond.

Said en Kualid gingen vaak Kabul uit, over de weg naar Jalalabad. De weg was onverhard en vol gaten. Als ze eenmaal een goede plek hadden gevonden, wachtten ze tot ze het geluid hoorden van een naderende motor en vulden ze met hun schoppen de grootste gaten met stenen en aarde, hopend op een fooi of een cadeautje van de chauffeurs van de vrachtwagens of van de oude, gammele bestelbusjes die nu en dan op die hobbelige weg reden.

Terwijl een grijze bleekheid, die de naderende zonsopgang aankondigde, door de contouren van de bergen filterde, liepen de twee, ieder met zijn schop op een schouder, over het pad dat naar de rand van de stad afdaalde. Dat zouden ze nemen om daarna de grotere weg te bereiken die over de berg naar Jalalabad voerde of, als je noordwaarts afweek, naar de frontlinie tussen de taliban en de moedjahedien van commandant Massoud.

Waar het onverharde wegdek plaatsmaakte voor grote platen afgebrokkeld cement stuitte je op het puin van de eerste gebouwen van de hoofdstad. Ze tekenden zich wankel af, in vormen die door de verwoestingen vreemd en onwaarschijnlijk waren geworden: donkere silhouetten in de schemering die nog niet door het ochtendlicht was overmeesterd, onbeweeglijk als fossielen van prehistorische dieren. De figuren die de stad langzaam tot leven brachten, leken ook wel prehistorische dieren, maar dan levend en in beweging. Mannen spanden zich in, stevig in hun dekens gewikkeld, op de trappers van zware Chinese fietsen en hun ademstoten waren zichtbaar als dampwolkjes. Nu en dan kruisten ze elkaar op hun route, dan groepeerden ze zich weer in een nog rustig en stil verkeer.

In het donkere licht waren de laatste hoopjes vuile wintersneeuw die de eentonigheid van de hopen puin onderbraken aan de randen van de weg te zien.

'Zullen we gaten in de sneeuw maken?' Said grinnikte naar Kualid en wees op een bergje bevroren sneeuw dat iets groter was dan de andere hopen.

'Waarom niet?! Dat loopt ook makkelijker!'

Ze zetten hun schoppen tegen een muur en hurkten voor het sneeuwmuurtje neer. De warme, dampende urinestralen maakten gaatjes in de sneeuw, kleurden hem doorzichtig geel en lieten hem sissen. Said en Kualid keken elkaar lachend en knipogend aan. Ze zaten nog op hun hurken, bezig hun broek dicht te doen, toen een geluid hun aandacht trok. Het was een aanhoudend maar onregelmatig geknars, dat steeds dichterbij kwam.

'Hé, Kharachi, ben je al op pad?' zei Said terwijl hij zich omdraaide naar de oude man die dichterbij was gekomen, met zijn blik ter hoogte van de zijne, doordat de man geen benen had en met zijn bovenlichaam leunend op een houten karretje met vier knarsende wielen rondging.

'En jullie,' antwoordde de oude man. 'Altijd bezig met kattenkwaad uithalen, hè?'

Said ging staan en Kualid volgde onmiddellijk zijn voorbeeld. Nu bekeek hij de oude man van bovenaf en hij deed zijn broek goed om gewichtig te doen: 'Wat voor kattenkwaad? Wij gaan werken,' en met een enigszins theatraal gebaar wees hij naar de schoppen die tegen de muur geleund stonden, 'niet elke dag aan de wandel zoals jij!'

De echte naam van de oude man was Mohammed, *kharachi* waren de karretjes van de markt, maar aangezien Mohammed zich met een karretje moest verplaatsen, was Kharachi ook de naam geworden die iedereen hem had gegeven sinds hij uit het noorden, uit het gebied van Kapisa, naar Kabul was gekomen. Het was in Kabul algemeen bekend dat tijdens de oorlog tegen de Russen een raket die door een helikopter was afgeschoten zijn huis had geraakt en zijn hele familie had gedood, en dat hij zijn benen daarbij was kwijtgeraakt. Niemand wist echter hoe hij Kabul had weten te bereiken, of hij zich tot de stad in zijn karretje had voortgeduwd of dat iemand hem had gebracht. In elk geval kende zo'n beetje iedereen in dat deel van de stad hem, want de oude man met het karretje leek nooit te rusten: hij bewoog altijd door de straten van de wijk. Het geknars van de wielen ging overdag op in de herrie van het verkeer en het geschreeuw van de mensen, maar in de stilte van de nacht was het goed te horen. Kualid had zich vaak afgevraagd of Kharachi wel eens sliep, of hij wel op zijn romp kon liggen of dat hij gewoon zijn ogen dichtdeed terwijl hij nog op zijn houten karretje leunde en zijn armen bleef bewegen om zich af te zetten. De oude man leefde van aalmoezen en niemand wist waar hij woonde, waarschijnlijk in een of ander gat dat tussen het puin van een van de vele verwoeste gebouwen was ontstaan.

'En jij, jochie?' Ditmaal richtte de oude man zich tot Kualid. 'Ga jij ook aan het werk? Met die schop die groter is dan jij? Weet je wel zeker dat je die kunt optillen?'

Kualid voelde zich voor schut staan, ook omdat Said lachte om de woorden van de oude man. Hij had hem een grote mond willen geven, iets beledigends willen zeggen. Het was geen medelijden dat hem tegenhield, maar eerder het gevoel van respect voor ouderen dat hem was bijgebracht. Hij keek naar Kharachi, naar zijn gezicht vol kleine rimpeltjes, alsof hij in plaats van ouder geworden gewoon verschrompeld was, naar zijn grijze tulband die met lange windingen om zijn hoofd was gewikkeld en veel te groot was in verhouding tot zijn gezicht.

Misschien, dacht Kualid, heeft hij zo'n grote opgezet om groter te lijken. Hij dwong zichzelf om te glimlachen terwijl hij een instemmend gebaar met zijn hoofd maakte.

Said zocht in een van zijn zakken, haalde er een muntstuk uit, boog voorover en gaf het aan de oude man: 'Hier, Kharachi, en moge Allah met je zijn!' zei hij.

Kualid was stomverbaasd. Het was al ongelooflijk dat Said een muntstuk had, maar dat hij het vervolgens cadeau deed, was echt uitzonderlijk. Hij keek zijn neef vragend aan en die antwoordde door zijn schouders op te halen, met een blik van overdreven onverschilligheid die elke vraag tegenhield.

'Bedankt, jongens, en de vrede zij met jullie,' zei de oude man en hij liet het muntje in een zakje verdwijnen dat verborgen was onder de deken die zijn bovenlichaam bedekte. Daarna ging hij weg in de richting vanwaar hij was gekomen. Er resteerde nog genoeg stilte om behalve het geknars van de wielen het korte, ritmische getik van de stenen te horen die de oude man in zijn hand hield, waarmee hij zich vooruit duwde door een voortdurende, synchrone beweging met zijn armen, alsof hij op het asfalt roeide.

De rij ruïnes langs de weg liet af en toe tekenen zien van de mensen die er nog woonden. Houten palen ter ondersteuning van een afdak van golfplaat dat op een muurtje van droge modder leunde, nog overeind tussen hopen puin. Gordijnen van jute of plastic voor de ramen van een kamer die het instorten van de woning op de een of andere manier had overleefd. Terwijl de hemel lichter werd maar nog koppig grijs bleef, kwamen de eerste menselijke gedaanten tevoorschijn uit het landschap van puin. Stille bewegingen, die vertraagd leken door de onbeweeglijkheid van de onwezenlijke vormen van de verwoeste bouwwerken.

De restanten van een gebouw, hoger en moderner dan de bouwsels van modder, staken af tegen die hoop stenen, bakstenen en lage pinakels. Het geraamte van gewapend beton was overeind gebleven, maar de inwendige constructies waren in elkaar gezakt. Gladde platen teer strekten zich omlaag uit en bedekten andere, enorme stukken kalk die de consistentie van natte lappen leken te hebben aangenomen, alsof het gebouw niet was ingestort maar gewoon als een ballon was leeggelopen. De sneeuw die erin was binnengedrongen en bevroor tussen de kieren en door de ruïnes gevormde tussenruimten, leek het vast te metselen, de definitieve ineenstorting te verhinderen.

Verderop stond een lange rij grote, verroeste containers. Ze dienden als winkeltjes en vaak ook als woningen. Sommige waren al open en toonden hun koopwaar: oude autobanden, stukken stof, plastic bakjes, flessen benzine of petroleum, hopen tweedehandskleding.

Op een afstandje van de rij containers, op een afgelegen heuveltje van aarde en kiezels, stond nog een container. Het verroeste metaal barstte op meerdere punten open in grote en kleine scheuren, omrand door flarden gekarteld metaal die naar buiten kwamen. De hele constructie had een licht gebolde vorm, alsof de container van binnenuit was opgeblazen. Said wees ernaar.

'Weet je waarom die is ontploft?' vroeg hij.

Kualid wist het maar al te goed, maar hij wist ook hoe graag zijn neef verschrikkelijke verhalen vertelde, dus antwoordde hij slechts met een vragende blik.

Said begon weer te praten, bijna vol vuur. Zijn serieuze blik kon niet verhullen dat hij het verhaal graag wilde vertellen.

'In dat soort containers,' zei hij, 'werden door de moedjahedien wel vijftien tot twintig gevangenen opgesloten, soldaten van de president die een verbond met de Russen hadden gesloten. Ze sloten ze daarin op en dan gooiden ze handgranaten door een luikje naar binnen... Boem! Boem! Alles vloog de lucht in, mannen en ijzer. Stel je voor, Kualid, wat een puinhoop! Armen, benen, stukken darmen, alles door elkaar en verbrand als kebab.'

Kualid deed zijn uiterste best om het zich echt voor te stellen: een enorme rokende kebab van mensenvlees. Misschien kon hij er de komende nacht over dromen, zodat hij Said een droom kon vertellen. Misschien.

Ze waren inmiddels aan de rand van de stad aangekomen. Twee grote blokken cement waren vlak bij elkaar midden op de rijbaan neergezet om alle voertuigen die eraan kwamen te dwingen langzamer te gaan. Na de blokken, die omgeven waren door rollen prikkeldraad waarin de wind stukken vodden en papier had laten steken en door een muurtje van opgestapelde zandzakken, verrees een barak van houten planken. Het was een controlepost van de taliban.

Hoewel de zon al bijna helemaal op was, was onder het afdak nog het oranjerode schijnsel van een olielamp te zien. Er kwam een soldaat onder vandaan, gehuld in een zware deken waaruit, omlaag gericht, de gebruineerde loop van een kalasjnikov stak.

'Mogen we erlangs?' riep Said hem toe.

De soldaat had rode ogen van de slaap. Hij maakte slechts een ongeïnteresseerd gebaar met zijn hand en trok zich weer terug in de barak.

De zware mitrailleur die op de driepoot stond, in een nest van zandzakken, leek verlaten. Alleen het donkere en door olie glanzende metaal wees op de dodelijke doeltreffendheid. Een licht windje bewoog twee dichte bosjes glanzende linten, die als een trofee aan de loop van het wapen hingen en een zacht geruis veroorzaakten. Het leken scalpen, maar het waren linten van audio- en videocassettes. Soms zag je bij de wegversperringen van de taliban ook oude televisietoestellen, opgehangen aan touwen. Scalpen en galgen dienden om eraan te herinneren dat muziek en beelden een instrument van de duivel waren en dat ernaar luisteren of kijken een onvergeeflijke doodzonde was.

'En toch,' zei Kualid terwijl hij glimlachte en een hand naar zijn oor bracht, 'kun je het horen.'

'Wat kun je horen?' vroeg Said.

'Hoezo wat? De muziek natuurlijk, de muziek die in die plastic strookjes gevangenzit. Luister dan, hoor je het niet? Het kom echt daaruit.' Kualid wees op de scalpen van linten die aan de mitrailleur hingen.

Said gaf hem een klein duwtje. 'Weet je, Muis, je bent echt een idioot. Er komt helemaal geen muziek uit die linten, het is gewoon de wind die ze laat ritselen.'

'Dat zal best,' hield Kualid vol, 'maar in die linten zit muziek opgesloten, en in sommige zitten ook plaatjes. Dat heeft grootvader me verteld. Hij heeft het gehoord en heeft ook de plaatjes gezien. Hij heeft me verteld dat ze bewogen alsof ze echt leefden. Maar hoe kunnen ze uit die linten komen, weet jij dat, Said?'

Zijn neef greep de kans aan om een beetje gewichtig te doen. 'Natuurlijk weet ik dat, ventje. Maar de stroken moeten goed opgewikkeld en in plastic doosjes opgesloten blijven. Daarna worden die doosjes in apparaten gestopt die de muziek eruit halen, en als ze in grote dozen met glas ervoor worden gestopt, halen ze ook de plaatjes eruit. Maar het is een zonde, je mag het nooit doen. En bovendien, waar vind je die apparaten en dozen met glas?' besloot Said.

Kualid keek om zich heen. Plotseling, met een snelle beweging, voordat Said de kans kreeg om nog iets te zeggen, liet hij de schop op de grond vallen en sprong over het muurtje van zandzakken heen. Hij ging naar de mitrailleur en terwijl hij zich uitstrekte naar de loop rukte hij een plukje linten van de opgehangen scalp en liet het meteen in een jaszak verdwijnen.

Daarna ging hij terug naar Said en pakte hij zijn schop weer alsof er niets was gebeurd.

'Ben je niet goed snik?' wees Said hem terecht. 'Als de soldaten je gezien hadden, zouden ze ons verrot geslagen hebben. Misschien zouden ze ons wel naar de gevangenis hebben gebracht. We moeten hier zo snel mogelijk weg!' en hij versnelde zijn pas, ging bijna rennen. Kualid volgde hem op korte afstand, hij moest een beetje moeite doen om hem bij te houden. Ze liepen vlug en in stilte, hun schoppen hoog in de lucht gestoken zodat het leek of ze eraan hingen. Hun gehijg veranderde in dampwolkjes die vlug na elkaar kwamen en daarna in de lucht verdwenen.

Het wegdek was hier weer onverhard. Stenen, aangestampte aarde en hoopjes bevroren, stoffige sneeuw lagen aan de rand van de rijbaan, waar de kale rotsen van de bergen oprezen. Ze hadden Kabul al achter zich gelaten. De dag had zich meester gemaakt van de stad onder hen en onthulde meedogenloos alle wonden ervan. In de verte was het indrukwekkende, arrogante, verwoeste koninklijke paleis te zien, de koepels gereduceerd tot een ijzeren geraamte. De schijnwerpers die het donkere complex van de gevangenis van Pul-i-Charkhi verlichtten, het enige licht dat 's nachts aan was, gingen gelijktijdig uit, verslagen door het daglicht.

Said stopte even en leunde op het handvat van zijn schop. Toen Kualid hem had bereikt, genoot hij van de korte pauze. Beiden hadden al minstens een uur niets gezegd, maar alsof het gesprek net was onderbroken, zei Said: '... en wat doe je er dan mee, Muis, met een plukje linten?'

Kualid antwoordde niet en begon, ook al voelde hij zich moe, weer te lopen, zijn neef achter zich latend. Hij kon hem toch niet zeggen dat hij die nacht voor het slapengaan de linten als een kussen onder zijn hoofd zou leggen? Misschien zouden de muziek en de plaatjes eruit komen, zijn hoofd binnengaan en in gekleurde dromen veranderen. Dat kon hij toch niet tegen Said zeggen? Die zou hem vast uitlachen. Maar dat met de linten proberen kostte niks.

Nu liepen ze weer naast elkaar zonder een woord te zeggen, want de inspanning van de klim benam hun de adem.

Ze liepen langs de rotsachtige flank van de berg. Aan de andere kant waren de steile haarspeldbochten die elkaar opvolgden begrensd door hellingen die soms loodrecht omlaag gingen, dan weer geleidelijk afliepen naar de onderliggende open plekken, waar een dappere of wanhopige boer een paar lapjes bouwgrond had ingepikt tussen de mijnen die het hele gebied teisterden. Langs de randen van de rijweg verrezen her en der de verwrongen wrakken van oude Russische tanks. De roest die de tanks aanvraten en de vorm en kleur veranderde, had ervoor gezorgd dat ze in het landschap opgingen, alsof ze er altijd deel van uit hadden gemaakt.

Ze kwamen langs een grote dromedaris. Aan zijn nek hing een gerafeld stuk touw, zijn oogleden met lange wimpers waren bijna dicht. Hij zoog op zijn vooruitstekende onderlip alsof hij zijn aangeboren onverschilligheid aan alles en iedereen wilde laten zien. Net voorbij een smalle bocht in de weg stond Said stil.

'Kijk, daar beneden!' zei hij opgewonden tegen Kualid en hij wees naar een minder steil deel van de helling. 'Het is een vrachtwagen, een vrachtwagen die gekanteld is!'

De bestuurderscabine en de aanhanger vielen op tussen het vuile wit van de sneeuwvlekken en het grijs van de stenen die met het omlaag vallen van het voertuig neergestort waren. De vrachtwagen was helemaal beschilderd met mooie, gedetailleerde motieven in felle kleuren. Hij lag op een kant, alsof hij in slaap was gevallen, en de lading lag er verspreid omheen.

'Dat is vast een Pakistaanse vrachtwagen,' ging Said verder. 'De aanhangwagen zit vol zakken, dat kan meel zijn. Kom, laten we snel gaan kijken!'

Kualid was stomverbaasd. 'En als er nog iemand in zit?'

'Er zit heus niemand meer in. De chauffeur is er vast vandoor gegaan om hulp te zoeken,' moedigde Said hem aan.

Kualid was niet overtuigd. 'Als we iets pakken, is dat stelen, en dat is een grote zonde. Als ze ons daarna te pakken krijgen, kunnen ze voor straf een hand afsnijden!'

'Het is geen stelen, die zakken zijn achtergelaten,' hield Said vol, 'ze liggen op de grond, zie je dat niet? Het is net zoiets als het plukken van vruchten van een wilde boom, dat is geen stelen!'

De vrachtwagen was zo'n twintig meter onder de rand van de weg gevallen, Kualid en Said zagen hem vanboven.

'En,' hervatte Kualid, 'het is ook nog eens gevaarlijk om van de weg af te gaan. Je weet toch dat er mijnen onder de grond verborgen zijn? Wat nou als we daarop stappen?'

'Kijk,' zei Said steeds opgewondener, 'er staan voetstappen in de sneeuw, het zijn vast die van de chauffeur die ervandoor is. We hoeven alleen onze voeten erin te zetten. Als hij niet is opgeblazen, worden wij ook niet opgeblazen.'

Hij zette de schop in een hoopje grind en stortte zich zonder verder nog iets te zeggen bijna rennend langs de bergkam. Kualid zag hem van de ene op de andere steen springen en daarna zijn benen uitstrekken om zijn voeten in de afdrukken in de sneeuw te zetten. De randen van de deken die zijn lichaam omhulde, sprongen omhoog en omlaag, hij leek wel een dolgedraaide vleermuis. Eindelijk kwam hij bij een van de zakken aan en hij zette zijn voet erop, als een jager die met zijn prooi poseert. Daarna, nadat hij een mesje tevoorschijn had gehaald, net als een jager die het dier vilt, hurkte hij neer om de stof van de zak open te snijden. Hij stak zijn handen in de snee en haalde ze er vol wit stof uit. Hij gooide het in de lucht en er vormde zich direct een lichte wolk, die zich voordat hij op de grond neerviel met die van de damp van zijn adem mengde.

'Het is meel,' riep hij enthousiast, 'Kualid, het is meel! Het is een geschenk van Allah. Kom, Muis, schiet op!' Hij zwaaide met zijn armen om zijn neef duidelijk te maken dat hij naar hem toe moest komen.

Maar Kualid kwam niet in beweging. Hij probeerde het zijn benen op te dragen, maar die gehoorzaamden hem niet, alsof zijn voeten wortel hadden geschoten in die grond vol stenen. Om zichzelf moed in te spreken dacht hij eraan hoe blij zijn grootvader en zijn moeder zouden zijn als hij met meel thuis zou komen. Maar in zijn verbeelding schoof de glimlach van zijn grootvader zich over de ontstemde uitdrukking van wanneer hij hem waarschuwde op de mijnen te passen: 'Ze zijn als de adders in de woestijn, verborgen, gecamoufleerd, maar klaar om je onverwachts te bijten!' Het was alsof hij het gif van de adder in zich voelde en erdoor verlamd werd.

Said was het snel zat om met zijn armen te zwaaien en Kualid te roepen. Hij trok de deken van zijn schouders, legde hem op de grond neer en begon hem enthousiast te vullen met handen vol meel die hij uit de zak haalde, die te zwaar was om te vervoeren.

Kualid ging zitten met zijn handen rond het houten handvat van de schop, en zo zat hij daar te staren in het niets.

Said knoopte zijn deken vol meel dicht en klom de helling weer op. Deels door het gewicht, deels doordat hij inmiddels de drieste energie van de heenweg verbruikt had, bewoog hij langzamer, goed oplettend waar hij zijn voeten neerzette. Kualid keek hoe hij dichterbij kwam en verroerde zich niet. Hij schaamde zich omdat hij de moed niet had gehad zijn neef bij dat succesvolle avontuurtje te volgen. Nu zou Said hem zeker uitlachen om zijn lafheid. Hij voelde dat zijn gezicht rood werd en boog zijn hoofd uit angst dat Said het zou merken. Daardoor zag hij niet toen zijn neef dichterbij kwam dat ook Saids gezicht paars was door de inspanning en de opwinding.

'Nou, Muis, was je van plan om daar de hele dag te blijven zitten? Kom, sta op, we gaan!'

'Ik kom eraan,' antwoordde Kualid. Hij zette zich schrap voor de eerste spottende grap en keek Said scheef aan, op zijn hoede. Maar Said pakte alleen de schop, legde de bundel op zijn schouder en begon weer te lopen. Hij leek magerder nu hij niet meer in de deken was gehuld.

Kualid merkte dat Saids onderlip een beetje trilde. 'Heb je het koud?' vroeg hij, ook om de stilte te verbreken.

'Een beetje,' antwoordde Said, 'maar door te bewegen word ik wel warm.'

Ze liepen nog een flink stuk, slechts luisterend naar het hijgende ritme van hun ademhaling. 'Zo, dit lijkt me een goed punt,' zei Said toen ze bij het einde van een brede haarspeldbocht in de weg waren. 'Hier,' ging hij verder, 'komen de vrachtwagens langzaam aan vanwege de bocht. De chauffeurs hebben alle tijd om je te zien, en als Allah het wil, te stoppen. Wanneer je er een hoort komen, ga dan die gaten daar vullen,' en met een beweging van zijn kin wees hij Kualid twee of drie diepe kuilen in het wegdek aan.

'Waar ga jij dan heen?' vroeg Kualid een beetje verontrust.

'Ik ga ietsje verderop, het heeft geen zin om allebei op dezelfde plek te staan. Als ze jou niks geven, dan geven ze mij daarna misschien iets. Trouwens, waar maak je je druk om? Jij bent de eerste en als ze jou iets geven, geven ze mij zeker niks. Hoe dan ook,' voegde hij eraan toe, 'ik heb deze flinke zak meel al verdiend,' en hij schudde eventjes trots met de bundel die hij op zijn schouder had.

Kualid leunde met zijn rug tegen de rotswand en keek hoe Said over de weg omhoog wegliep, zijn oren reeds gespitst op het eerste geluid van een verre motor.

Hij had hen echt niet zien aankomen. Het waren drie jongens, ook met schoppen gewapend. Ze moesten van achter de bocht gekomen zijn. Ze stonden ineens voor Kualid alsof ze uit het niets verschenen waren en door een onverwachte spontane reflex drukte hij zijn rug nog harder tegen de rotswand.

'Wat doe jij hier, jochie? Dit is onze plek!' zei de grootste van de drie, die duidelijk de baas was, dreigend. Hij liet zijn woorden vergezeld gaan van een duw van zijn open hand op Kualids borst, die hem terugsmeet tegen de rotswand waarvan hij zojuist losgekomen was. Maar Kualid had zich die dag al laf genoeg gevoeld omdat hij Said niet was gevolgd toen hij het meel ging halen. Hij reageerde razendsnel. Hij liet zijn schop op de grond vallen en wierp zich op de jongen, waarbij hij zijn jack vastgreep. In een tel rolden de twee omstrengeld tussen de kiezelstenen en de aarde. De andere leden van de groep leken van hun stuk gebracht door Kualids snelle reactie en gingen alleen een beetje opzij om de twee vechters ruimte te geven. Zijn tegenstander was zeker groter en sterker. Kualid klampte zich uit alle macht aan hem vast, en toen het de jongen lukte zijn armen in een onontkoombare greep te blokkeren, probeerde hij hem met zijn benen vast te klemmen. Het lukte hem zelfs om hem in zijn onderarm te bijten, waarbij hij zijn kaak zo ver mogelijk dichtbeet, zodat de pijn van de beet zijn gespannen spier bereikte, door de weerstand van de dikke stof van de mouw heen. Desondanks lag hij al snel met zijn rug op de grond en boorden de knieën van de jongen in zijn buik. Hij zat op hem en schudde hem door elkaar, terwijl hij hem bij de kraag van zijn jas vasthield en zijn hoofd op de harde grond beukte. Van onder zag Kualid zijn rode, bezwete gezicht, de gejaagde adem die met een rochelend geluid uit zijn door woede opengesperde neusgaten kwam. En dat gezicht leek groter en kleiner te worden op het ritme van de harde rukken van de jongen.

'Sla hem op zijn bek! Maak hem af!' De andere twee van de bende, die zich tot nog toe afzijdig hadden gehouden, spoorden hun kameraad nu aan, opgewonden door de afloop van het gevecht. En ze voegden al snel de daad bij het woord. Kualid voelde de onverwachte pijnscheuten van de trappen die ze hem in zijn ribbenkast gaven. Nu zag hij drie paarse gezichten boven zich hangen. Maar eentje verdween ineens, een fractie van een seconde na het korte geluid van de steen die de belager op zijn hoofd had geraakt en die hem op de grond deed vallen. Kualid kon zijn hoofd maar net in de richting draaien vanwaar de steen hem leek te komen en zag Said, die nu in allerijl op hem af kwam rennen. Hij schreeuwde. Een aanhoudende en felle schreeuw zonder woorden, pure woede.

Hij had zijn bundel meel midden op de weg laten vallen en kwam steeds sneller dichterbij, zwaaiend met zijn schop alsof het een speer was. De jongen die door de steen gevloerd was, stond weer op, haalde een hand over zijn gewonde slaap en sloeg na een moment van aarzeling op de vlucht. Misschien verschrikt door die wilde kreet volgde zijn maat hem alsof de duivel hem op de hielen zat. Said viel degene die nog op Kualid zat aan door hem letterlijk mee te sleuren met een onstuimigheid die zijn neef bevrijdde en de jongen op de grond smeet. Ook Said viel, meegesleurd door zijn eigen snelheid, maar hij probeerde zijn tegenstander toch bij de enkels te pakken terwijl die met ongecoördineerde bewegingen probeerde op te staan om te vluchten. Schoppend lukte het de jongen uit de greep los te komen en hij begon richting de bocht te rennen waar hij vandaan gekomen was. Said ging door met zijn geschreeuw, alsof hij het te lang had moeten inhouden en nu hij het bevrijd had niet meer kon stoppen, en hij begon stenen naar de jongen te gooien die er rennend vandoor ging, zonder hem te raken, want ditmaal waren het snelle, onnauwkeurige worpen, die vooral dienden om de boosheid die hij nog voelde af te reageren. Hij hield pas op toen de jongen achter de bocht was verdwenen.

Hij had de laatste steen die hij had gepakt nog stevig in zijn hand, zijn geschreeuw was veranderd in een hevig, onregelmatig gehijg. Met zijn rug naar Kualid toegekeerd bleef hij naar het punt kijken waar de jongen was verdwenen, alsof hij van het ene op het andere moment weer kon opduiken.

'Hé, Said!' riep Kualid, die nu met een arm op de grond leunde en de andere ter hoogte van zijn gezicht hield om het bloed dat uit zijn neus stroomde weg te vegen. Said draaide zich met nog grote ogen om, ver weg kijkend, alsof dat geroep van heel ver kwam. 'Said!' ging Kualid door. Hij leek wakker geschud te worden, en eindelijk bleef zijn blik op zijn neef rusten. Kualid glimlachte naar hem, zijn gezicht nog met bloed besmeurd: 'Ze zijn sneller dan een paard gevlucht, we hebben ze goed bang gemaakt, hè Said?' en zijn glimlach barstte in een lach uit. Ook Said begon te lachen, hij opende zijn gebalde vuist en liet de steen die hij vasthield op de grond vallen. Kualid stond op en legde lachend een hand op de schouder van zijn neef, die hetzelfde deed. Zo stonden ze daar, leunend op elkaar, alsof ze zich verzetten tegen de lachbui die hen deed schudden.

Een hard en onverwacht geronk vulde de lucht. Kualid en Said hieven nog maar net op tijd hun ogen naar de hemel, want de contouren van twee oude Russische Migs, die op lage hoogte vlogen en naar het noorden op weg waren, richting het front, waren al twee kleine donkere puntjes geworden. Ze vervaagden in de verte, op de grens tussen de bergkammen en de grijze wolken op de achtergrond. Het bulderende lawaai van de vliegtuigen had het doffere geluid van de vrachtwagen overstemd. De twee jongens zagen hem pas toen hij naast hen reed. Het was een grote vrachtwagen, de aanhanger overdekt met een zeildoek; de dubbele wielen schoten steentjes weg en uit de uitlaat kwam een dikke, zwarte rook, de adem van de motor onder druk.

'Het meel!' riep Said op hetzelfde moment waarop zijn blik het punt op de weg begon te zoeken waar hij zijn bundel had laten liggen. Kualid zag hem de achtervolging van de vrachtwagen met naar voren gestrekte armen inzetten, alsof hij zich wilde vastgrijpen aan de zwarte rook die hem zo nu en dan omhulde, en hij begon achter hem aan te rennen. Toen hij zijn neef bereikte, was de vrachtwagen al ver weg en de deken was praktisch één geworden met de aarde en stenen; het meel was er met kracht uit gedrukt en lag verspreid over de weg, waar het zich vermengde met de vieze aarde en het vocht dat uit de kletsnatte sneeuwbanden was gedropen, die hun sporen in de brij hadden achtergelaten.

Said zat met gebogen hoofd gehurkt naast wat nu het kadaver van een of ander dier leek, zijn schouders maakten korte schokjes. Even dacht Kualid dat hij huilde, maar toen zag hij dat die schokken slechts zijn hijgende ademhaling door het uitzinnig harde rennen waren. Kualid stond op twee passen afstand van zijn neef en kon geen enkel woord vinden om tegen hem te zeggen. Het was Said die de stilte verbrak van wat een kleine begrafenisceremonie leek. Hij pakte de deken, nu niet veel meer dan een vod, schudde hem snel schoon en zei: 'Kom, laten we de schoppen pakken.' Hij ging als eerste op weg, zonder zich om te draaien om naar de vlek meel en viezigheid te kijken die op de grond achterbleef.

Zonder het hardop te zeggen besloten ze niet meer uit elkaar te gaan en ze installeerden zich na de bocht om samen op de komst van een voertuig te wachten. Zonder ook maar een woord vuil te maken aan het verloren meel hulde Said zich weer zo goed en zo kwaad als het ging in de vieze deken. Gehurkt aan een kant van de weg doodde Kualid de tijd door steentjes naar de overkant te gooien. 'Weet je, Muis,' zei Said op een gegeven moment, alsof hij een gesprek voortzette dat echter alleen in zijn gedachten was begonnen, 'mijn vader is met de moellah gaan praten. Hij wil dat ze me op de Koranschool aannemen. Hij zegt dat ze je daar elke dag te eten geven, en dat zou voor ons goed uitkomen, want mijn broertjes en zusjes zijn klein en brengen niks mee naar huis.'

'Maar zou jij dat leuk vinden?' vroeg Kualid hem. Er was geen tijd voor een antwoord, want vanachter de bocht kwam het geluid van de motor van een vrachtwagen. Ze pakten de schoppen en begonnen er aarde en steentjes mee te scheppen en in een groot gat in het wegdek te gooien. Ze werkten keihard, alsof ze de hele dag niks anders hadden gedaan. De donkergroene neus van een grote vrachtwagen kwam uit de bocht tevoorschijn. Said en Kualid hoorden hem dichterbij komen, zonder zich om te draaien om ernaar te kijken, zodat ze hun werk niet hoefden te onderbreken, maar wel lettend op het geluid van de motor, in de hoop het terugschakelen te horen dat de bedoeling van de chauffeur om te stoppen had kunnen aankondigen.

Ze moesten met een sprong opzijgaan, want de vrachtwagen ging hen voorbij zonder zelfs maar vaart te minderen. De open laadbak zat vol talibansoldaten. De een tegen de ander gepropt bezetten ze elk centimetertje van de ruimte. Gehuld in hun dekens en tulbanden leken ze een eenvormige massa, een hoop waaruit de glanzende lopen van hun kalasjnikovs staken. Said en Kualid zagen hen voorbijgaan en zochten hun ogen, waarvan geen enkel paar zich op hen richtte. Blikken die afwezig leken, ze drukten geen enkele agressiviteit of opwinding uit, alleen het passieve wachten op het bereiken van een onbekende bestemming.

'Ze gaan vast in noordelijke richting,' zei Said terwijl de vrachtwagen zich verwijderde. 'Ze gaan naar het front.'

Ze zetten de schoppen neer en gingen weer langs de kant van de weg zitten wachten op een andere vrachtwagen. Ditmaal stopte die wel. Het was een heel oud

Volkswagenbestelbusje. Waar de roest het busje nog niet aangevreten had, waren er op de zijkanten sporen van gekleurde tekeningen te zien: bloemen, rode harten en teksten in een voor Said en Kualid onleesbaar schrift. Het was een van de vele wrakken die door de hippies uit het Westen waren achtergelaten, vele jaren daarvoor, toen er in Afghanistan geen oorlogen waren en het land de bestemming was van karavanen avontuurlijke toeristen op zoek naar exotische landschappen en goede softdrugs. Maar daar hadden de twee neefjes geen flauw benul van. Degene die naast de chauffeur zat, draaide het raampje glimlachend omlaag, terwijl de bestuurder in een zak op de achterbank begon te graaien.

'Mijn makker zal zeker iets voor jullie vinden,' zei de kerel aan het raampje. Daarna gaf hij Kualid het zakje dat de ander hem intussen had doorgegeven. 'Hier, eet op onze gezondheid, en de vrede zij met jullie.'

'Bedankt, met jullie zij de vrede!' antwoordden Said en Kualid bijna in koor. Het bestelbusje vertrok weer knetterend.

'Zag je hoe vrolijk ze waren?' zei Kualid tegen Said. 'Misschien gaan ze wel naar een bruiloft!'

'Vast,' antwoordde Said, 'en ze nemen dingen om te eten als cadeau mee, de zak waarin de chauffeur zocht, zat er vast vol mee. Kom, Muis, laten we kijken wat ze ons hebben gegeven.' Kualid opende het plastic zakje en begon de inhoud eruit te halen, die hij doorgaf aan zijn neef en opsomde alsof de dingen die hij eruit haalde meer waarde kregen door ze een voor een te noemen: 'Zes broodjes, gedroogde dadels en... kijk, ook twee stukken vlees!'

'Laten we meteen een broodje eten,' zei Said, 'de rest verdelen we en nemen we vanavond mee naar huis. Mijn broertjes zijn dol op dadels.' Said pakte een van de broodjes en scheurde het doormidden, waarna hij een deel aan Kualid gaf. Het waren zachte broodjes, plat als wafels, met een langgerekte vorm en een enigszins rubberachtige consistentie. De twee begonnen met kleine hapjes te eten, lang op elk stukje kauwend, om de licht zurige smaak zo lang mogelijk in hun mond te hebben. Ze aten en keken elkaar aan, met een vrolijke blik van verstandhouding, alsof ze elkaar het genot dat ze ervoeren wilden overbrengen, waardoor het nog intenser werd.

Toen de twee neefjes elkaar, terug in Kabul, gedag zeiden, werd het al avond en leken de grijze wolken de kleur van de laatste weerkaatsing van een onzichtbare zon te absorberen. De muezzins zouden snel tot het gebed oproepen, daarna zouden de lichten van de stad in een van de oneindige nachten met de avondklok doven. Kualid haastte zich om het paadje in te slaan dat naar zijn huis voerde, vlak boven de stad, halverwege de helling aan de voet van de berg. Hij voelde zich voldaan, en ook een beetje trots op de buit van de dag; behalve het voedsel hadden hij en Said ook wat muntstukken bij elkaar gescharreld, en hij kon niet wachten om alles aan zijn grootvader en moeder te geven.

'En jongen, hebben je vriend en jij hard gewerkt?' De stem kwam vanachter zijn rug, van onderen. Hij deed hem opschrikken en leidde hem af van zijn glorierijke gedachten. Kualid draaide zich met een ruk om en zag, toen hij zijn blik omlaag richtte, de oude Kharachi, die

Allah wist waar vandaan met zijn karretje was opgedoken. 'Nou?' hervatte de oude man terwijl hij hem van onder naar boven bekeek. 'Hebben jullie goed verdiend?' Misschien was het om de vrijgevigheid die zijn neef die ochtend had laten zien te evenaren, misschien om de trots die hij voelde door de goede resultaten van die dag, maar zonder een woord te zeggen stak Kualid zijn hand in het zakje, haalde er een van de broodjes uit en boog voorover om het aan de oude man te geven. 'Bedankt, jongen, de vrede zij met je,' zei Kharachi tegen hem voordat hij zijn onophoudelijke ronddolen hervatte.

Kualid had dat gebaar gemaakt zonder zich ook maar de tijd te gunnen om erover na te denken. Maar nu, terwijl hij het paadje op liep, piekerde hij erover. Ik heb grootvader en mijn moeder een broodje ontnomen, dacht hij, en waarom? Om het aan die oude bedelaar te geven! Ik had hem in elk geval de helft kunnen geven, want hij is ook maar een helft en dat zou genoeg geweest zijn. Maar grootvader zegt altijd dat Allah je de aalmoes die je schenkt dubbel teruggeeft, dus heb ik er misschien wel goed aan gedaan. Maar... wat als ik het hem vertel en hij boos wordt en me een sukkel noemt?

Op het laatste stukje van de helling maakte Kualid een eind aan zijn overpeinzingen. Ik zeg niks tegen grootvader, besloot hij, en Allah zal beslissen of ik menslievend of onverantwoordelijk ben geweest. Toen hij de met boerka bedekte gedaante van zijn moeder zag, gezeten voor de ingang van hun huisje en bezig met een klein houtvuurtje, begon hij naar haar toe te rennen.

'Mama, mama! Kijk wat ik meegenomen heb!' riep hij, terwijl hij de schop liet vallen en het plastic zakje in zijn enthousiasme om het haar te laten zien voor zich heen en weer schudde. Zijn moeder stond op.

'Kom binnen, Kualid,' zei ze toen hij bij haar was aangekomen.

Haar dunne hand met lange vingers kwam uit de plooien van de stof van de boerka en ze legde hem op zijn schouder. Hij voelde die hand licht en levendig, alsof er een vogel op zijn schouder was gaan zitten, en dat contact, dat hem altijd een vredig gevoel gaf, kalmeerde zijn opwinding. Hij liet zich het huis in leiden, dat al in schemer was gehuld.

'Kijk, mama, kijk, er zit ook een stuk vlees bij!' Kualid opende het zakje en gaf het aan zijn moeder. De vrouw had haar gezicht vrijgemaakt door de sluier op haar hoofd te tillen. Ze pakte het zakje en bracht het naar het andere vertrek. Ook ditmaal had ze niet geglimlacht, maar Kualid las een kalme voldoening in haar ogen die hem zich gewichtig, tevreden deed voelen. Zijn grootvader drukte die avond nadat ze hadden gegeten wel zijn genoegen uit door een hand over zijn hoofd te halen en zijn haar door de war te brengen. 'Goed gedaan, mannetje!' zei hij. 'Morgen ga je met mij mee naar de stad, want ik heb een handeltje geregeld met een Pakistaanse koopman. Ik heb wat geld bij elkaar gespaard en daarmee koop ik van hem een partij tweedehandskleding die we daarna op de bazaar gaan verkopen. Zo kunnen we, als Allah het wil, wat winst maken. Jij moet me helpen om de kleren op de kar te laden en hem hiernaartoe te trekken.'

Toen hij zijn grootvader hoorde praten over geld herinnerde Kualid zich de muntjes die hij had verdiend. Hij voelde meteen in zijn jaszak en zo grepen zijn vingers opeens in het plukje linten dat hij die ochtend van de loop van de mitrailleur had gegrist en waaraan hij niet meer had gedacht. Hij maakte zijn vingers eruit los en haalde de muntjes eruit.

'Kijk, grootvader, zo kunnen we meer kleding van de Pakistaan kopen,' zei hij tegen de oude man terwijl hij ze aan hem gaf.

Zijn moeder had zich in het andere vertrek teruggetrokken, zijn grootvader lag op het matje en was al begonnen te snurken. Ook Kualid voelde zijn ogen zwaar worden van de slaap: het was een lange dag geweest. Hij haalde het plukje linten uit de zak van zijn jas, die als een prop vlak bij zijn bed lag. Hij hield het even in zijn hand en staarde ernaar. De linten leken het weinige licht dat nog in de kamer was op te vangen en zwakjes terug te kaatsen.

Misschien komen de muziek en de beelden die erin zitten er ook weer uit, dacht Kualid. Hij borg het plukje in een sjaal op en legde het geheel terwijl hij ging liggen onder zijn hoofd, alsof het een kussen was. Wanneer hij zijn hoofd bewoog, brachten de linten een licht geritsel voort dat Kualid, die zijn oor plat op het kussen gedrukt had, sterker leek te worden. Zie je wel, de muziek begint er al uit te komen. Dat was zijn laatste gedachte voordat hij overmand werd door een diepe slaap.

Toen hij wakker werd en ging zitten, was de kamer nog in duisternis gehuld. Hij keek in de richting van het aanhoudende gesnurk maar kon de contouren van zijn grootvader, in dekens gewikkeld, nauwelijks ontwaren.

Het moet zo licht worden, dacht Kualid, de nacht is aan het weggaan. Hij draaide zich om om naar de linten te kijken die nog in de sjaal zaten opgeborgen en probeerde zich te herinneren of ze hem een droom geschonken hadden. Hij concentreerde zich, terwijl hij zijn ogen dichtkneep om er minstens een vleugje van op te sporen dat in zijn oogleden was blijven steken, maar niks. Geen muziek, niet eens een plaatje kon hij zich herinneren. Said heeft gelijk wanneer hij zegt dat ik een stommeling ben, dacht hij bitter. Er zit echt helemaal niks in deze plastic linten. En in een ogenblik veranderde de teleurstelling in angst. En wat moet ik er nu mee? dacht hij. Ze zijn verboden, en ik heb ze zelfs gestolen. Als ze de linten vinden, breng ik de hele familie in de problemen. Sufferd die ik ben! Ik moet ze verstoppen.

Terwijl hij probeerde geen geluid te maken, trok hij zijn schoenen aan, een paar grote oude schoenen waarvan de veters kwijtgeraakt waren. Hij trok zijn jas aan en pakte de sjaal met de linten. Hij drukte het bundeltje tegen zijn borst om het tegen nieuwsgierige blikken te beschermen, schoof het doek van de ingang een klein stukje opzij en stond al buiten. Hij stopte even voor het huis om behoedzaam om zich heen te kijken, maar zag niemand. De naburige huizen waren nog helemaal donker, ook al week het duister van de hemel voor het eerste schuchtere daglicht, en de sterren waren aan het vervagen. Hij verliet het pad en begon de steile flank van de berg te beklimmen. Hij hield het bundeltje nog steeds goed met zijn handen vast, zodat hij af en toe op de steentjes uitgleed; dan ging hij op zijn knie zitten om weer op te staan en hervatte hij zijn klim.

Hij was buiten adem toen hij besloot dat hij ver genoeg van de huizen was verwijderd. Hij keek naar beneden, richting de huizen, die zich nauwelijks onderscheidden van de rotsmassa's. Hij hurkte neer en begon nadat hij het bundeltje had neergelegd met zijn handen te graven, maar de bevroren grond was te hard en hij kon er slechts krassen in maken met zijn nagels. Hij zag dus af van het idee om een gat te maken om het plukje linten te begraven: hij haalde het uit de sjaal, die hij om zijn nek wikkelde, en bedekte het met een steen. Maar hij had de indruk dat er nog een paar van die verdomde linten tevoorschijn konden komen, dus legde hij er nog een op, en daarna nog een, tot de linten onder een berg stenen verdwenen waren.

Zo, dacht Kualid terwijl hij ernaar keek, het graf van de dromen. Hij voelde zich nu lichter en stortte zich halsoverkop van de steile helling, rennend met open armen, alsof hij vloog.

'What moet ik toch met jou?' Zijn moeder stond voor de ingang van het huis stil en hield haar handen gesloten voor haar borst. In die handen en de toon van haar stem bespeurde Kualid haar ongerustheid, hoewel haar gezichtsuitdrukking verborgen ging achter haar sluier. Hij werd overspoeld door een golf van schaamte en kon, terwijl hij zijn hoofd boog, alleen maar stamelen: 'Sorry, mama.'

In huis was grootvader bezig met het oprollen van zijn gebedsmatje. Hij draaide zich naar Kualid toe: 'Dus wil je dat je moeder zich doodongerust maakt?'

Kualid zweeg, met gebogen hoofd, daarna voelde hij dat zijn grootvaders hand de sjaal van zijn nek rukte. 'Je hebt ook nog mijn sjaal gestolen, kleine schurk!'

Tersluiks hief hij zijn blik een beetje op om de uitdrukking van de oude man te bestuderen en zag dat diens gezicht niet bewoog, zijn rimpels leken versteend. 'Waarom ben je weggegaan toen het nog nacht was? En waar ben je geweest?'

Kualid bleef zwijgen, ook al wist hij heel goed dat zijn grootvader, in tegenstelling tot zijn moeder, op een antwoord zou blijven wachten.

'Ik vroeg je waar je geweest bent! Ben je doof geworden?' Zijn grootvader bleef aandringen, dus tilde Kualid, nog altijd met zijn hoofd omlaag, zijn arm op om een vaag punt aan te wijzen. 'Daar,' fluisterde hij.

'Wat betekent dat, daar? Waar daar?' ging zijn grootvader verder.

'Ik had geen slaap meer en ik ben een beetje de berg op gaan klimmen, grootvader.'

De klap trof hem midden in zijn gezicht. Kualid had hem niet zien aankomen, hij nam hem meer waar door het vlakke geluid dat hij op zijn wang maakte dan door de pijn. Sterker nog, de pijn leek hem niet te willen bereiken, tenietgedaan door een nieuwe aanval van schaamte. Zijn grootvader sloeg hem bijna nooit. 'Je weet dat je het pad nooit mag verlaten! Er liggen niet-geëxplodeerde mijnen en projectielen op de berghelling. Wil je eraan gaan? Of verminkt worden? Hoe vaak heb ik dat al gezegd? Ik hoop dat dit helpt om het je beter te herinneren!'

Zijn grootvader draaide zijn rug naar hem toe en verliet het vertrek.

Kualid bleef staan, onbeweeglijk. De schaamte was veranderd in een dof gegons zoals van een zwerm wespen, een gegons dat steeds sterker leek te worden, dat zijn oren vulde tot het hem verdoofde. Misschien kon hij daarom het vleugje angst dat in zijn grootvaders stem doordrong niet horen.

'Nou? Kom je nog naar buiten? We gaan de kar halen. Ben je vergeten dat we naar de stad moeten?' De stem van zijn grootvader was nu weer zoals altijd, hees en hard, en Kualid voelde zich erdoor gerustgesteld.

De kar stond niet ver van het huis. Zijn grootvader had een afdak gecreëerd door een plastic zeil aan het wrak van een oude ontplofte pantserwagen en een paar in de bodem gestoken palen vast te maken. 'Kom, help me hem eruit te halen!'

Kualid pakte een boom van de kar beet en begon te trekken.

'Zachtjes, zachtjes, kleine vent,' zei de oude man terwijl hij een hand door zijn haar haalde.

De grote wielen van de kar hobbelden door de kuilen in de steile grond die naar de verharde weg leidde. Het schokken van de kar daagde Kualid uit om de boom steeds steviger met zijn handen vast te pakken en hij spande zijn armspieren aan. Ik zal je temmen, rusteloos dier, dacht hij, terwijl hij fantaseerde dat hij een strijd met een mythologisch dier aanging. Maar toen ze eindelijk de verharde weg hadden weten te bereiken, zakte een van de wielen in een kuil in de berm weg.

Grootvader en Kualid stopten om naar de kar te kijken die schuin op de rand van de weg stond.

De oude man hield een arm gebogen in zijn zij en

streek zijn baard met zijn andere hand glad, nadenkend over wat te doen.

De jongen keek even naar de kar en even naar zijn grootvader, alsof hij van een van de twee een oplossing verwachtte. 'Kom op, Kualid,' zei de oude man terwijl hij weer bij zinnen kwam. 'Jij duwt het wiel dat in de kuil zit en ik trek de kar van voren. Als we samen kracht zetten, kunnen we hem loshalen, als Allah het wil.'

Kualid sprong meteen in de kuil. Hij legde zijn handen op het ijzeren loopvlak van het wiel, daarna legde hij zijn hele bovenlichaam ertegenaan en begon te duwen, zich met zijn voeten tegen de rand van het gat afzettend. Hij voelde de kou van het metaal tegen zijn wang en een enorme hitte door de inspanning in de rest van zijn lichaam. Met een wazige blik door het zweet dat in zijn ogen stroomde, concentreerde hij zich op de gekromde rug van zijn grootvader voor hem. Met zijn armen op de bomen gebogen en zijn spieren aangespannen leek hij een vogel die niet kon opvliegen.

'Hij beweegt, grootvader, hij beweegt!' riep Kualid met het beetje adem dat hij nog had. Hij was bijna zeker dat het wiel een halve draai had gemaakt. Hij zette zich beter met zijn twee voeten tegen de rand van de kuil af, zijn lichaam vrijwel horizontaal tussen de rand en het wiel om te voorkomen dat hij wegg leed. Het was niet voldoende, met een krakend geluid gleed het wiel naar achteren en hield precies stil op de plek waar het daarvoor ook had gezeten. Grootvader en Kualid namen, weliswaar kort, een moment rust, want ze wilden de kar maar al te graag los krijgen.

'Laten we proberen om allebei te duwen,' stelde de oude man voor.

Een grote pick-up stopte aan de andere kant van de weg. In de laadbak stond een zware mitrailleur op een driepoot geïnstalleerd, waaraan als een slinger een mitrailleurband van messing en koper hing. Twee mannen stapten uit de bestuurderscabine, twee andere bleven bij het wapen.

Ze hadden allemaal een baard en een tulband, en eentje, de chauffeur, droeg een donkere zonnebril. Ze begonnen zonder te praten met stalen gezichten naar de inspanningen van de jongen en de oude man te kijken.

'Het zijn vast de wachtposten bij de antenne op de top van de berg die terugkeren na een wisseling van de wacht,' hijgde grootvader. 'Laten we verdergaan met duwen.'

Daarna werd de stilte verbroken door het gelach van de soldaat met de zonnebril, die onmiddellijk weerklank vond in die van de anderen.

'Yalla,' zei de man met de zonnebril, terwijl hij met zijn hand de rest van de groep gebaarde hem te volgen. De twee achter op de pick-up sprongen lenig van de laadbak. Kualid en zijn grootvader stopten met het duwen van de kar. Zonnebril zei iets in een taal die ze maar nauwelijks verstonden.

'Het zijn zeker Arabieren,' fluisterde grootvader tegen Kualid.

Zonnebril en zijn kompaan sprongen in de kuil, schoven Kualid en de oude man opzij en begonnen de kar te duwen, terwijl de andere twee hem aan de bomen trokken.

'Een-twee, een-twee,' schreeuwden ze om het tempo aan te geven. In een paar minuten was de kar los.

Grootvader bracht een hand naar zijn hart en maakte een lichte buiging om Zonnebril en zijn kameraden te bedanken voor ze weer in de pick-up stapten en in volle vaart vertrokken, waarbij de banden steentjes lieten opspringen. De pick-up verdween in een flits uit het zicht, maar grootvader en Kualid konden de arm van Zonnebril die als afscheidsgebaar uit het raampje stak nog net zien. Ze staken een hand op om terug te zwaaien.

'Kom, spring op de kar,' zei de oude man glimlachend tegen Kualid.

'Maar grootvader,' antwoordde Kualid, 'ik wil je helpen met trekken.'

'Denk je echt dat ik zo oud ben dat ik dat niet alleen kan? En bovendien loopt de weg vanaf hier helemaal omlaag. Klim op de kar, zei ik!' Kualid kon alleen maar gehoorzamen, en zeker niet tegen zijn zin, want hij vond het idee om zich als een heer te laten rondrijden helemaal niet vervelend. Hij ging op zijn hurken op de planken van de kar zitten terwijl zijn grootvader de bomen stevig vasthield om zich klaar te maken voor vertrek.

De wielen gaven de eerste schokken door toen hij, terwijl hij om zich heen keek, Said zag die, vergezeld door zijn vader, het laatste stuk van de steile helling afdaalde om de weg te bereiken. Zijn vader hield een hand op zijn schouder en de twee liepen naast elkaar, oplettend dat ze niet uitgleden.

'Said, hé, Said!' riep Kualid, maar hij kreeg geen antwoord, en het wilde seinen met zijn armen haalde niets uit. Toch is hij niet zo ver weg, dacht hij, en terwijl hij beide handen naar zijn mond bracht, riep hij de naam van zijn vriend nog harder in de hoop diens aandacht te trekken. Said en zijn vader hadden intussen de weg bereikt, terwijl de kar hobbelend vooruit bleef gaan. Ze liepen langzaam, of die indruk maakte het in elk geval op Kualid, die zich omdraaide en nog een laatste keer riep: 'Said, Said! Hoor je me soms niet?'

Toen leek het hem dat zijn neef zijn groet beantwoordde. Een kort gebaar, bijna verborgen, zijn handpalm ging even open, zonder dat hij zijn arm ook maar van zijn zij ophief, maar dat was genoeg voor Kualid om die van hem op te tillen en door de lucht te bewegen. Hij hechtte eraan om Said te groeten, hij had met hem de vrolijkheid willen delen die dat tochtje op de kar hem gaf, maar uiteindelijk legde hij zich erbij neer en keek hij weer vooruit, naar de rug van zijn grootvader.

'Ben je nu eindelijk uitgeschreeuwd?' zei zijn grootvader zonder zich om te draaien.

'Ja, grootvader,' antwoordde Kualid, 'ik zag Said, hij was met zijn vader en ook zij waren op weg naar de stad. Ik riep om hem te begroeten, maar het was alsof hij me niet hoorde, alsof hij boos op me was.'

'En waarom zou hij boos op je zijn? Jullie halen nogal wat uit met zijn tweetjes! Misschien is hij gewoon in gedachten verzonken. Sommige gedachten brengen mensen bij elkaar, maar andere juist niet. Als Said gedachten heeft die hem wegvoeren, dan is hij ver weg, ook al heb jij het idee dat hij dichtbij is, en jouw stem kan hem niet bereiken.'

'Waar zou zijn vader hem naartoe brengen?' zei Kualid.

'Allah mag het weten,' antwoordde grootvader, en daarna zweeg hij. Alleen het ruisen van een licht windje en het geknars van de wielen van de kar waren hoorbaar. De oude man bleef in stilte trekken. Misschien voeren zijn gedachten hem ook weg, dacht Kualid. De lage huisjes op de flank van de berg verdwenen uit zijn gezichtsveld.

Het is net een rivier die al stromend ook dat wat op het oppervlak weerspiegeld is meeneemt, dacht Kualid. Het kwam niet vaak voor dat hij op een vervoermiddel reisde en het landschap kon zien bewegen terwijl hij het gevoel had dat hij stilstond.

Iets voorbij de huisjes, op een vlakke open plek die de helling onderbrak, staken platte en grijze stenen uit de grond, in groepjes, maar in een willekeurige opstelling en in een willekeurige vorm. Op sommige plekken waren de stenen op elkaar gestapeld om hopen te vormen waarop lange, dunne bamboestokken stonden. Aan de toppen waren groene vlaggen bevestigd, waarvan er vele al door het gure weer tot gerafelde lappen waren verworden. De wind bewoog ze lichtjes. Het was een van de vele begraafplaatsen die rond Kabul verspreid lagen. Elk dorp had zijn eigen begraafplaats, en die was vaak groter dan het dorp zelf.

Grootvader draaide zijn hoofd om een van de bergen stenen te bekijken. 'De groene vlaggen van de martelaren van de heilige oorlog,' zei hij. Maar het was meer een hardop uitgesproken gedachte dan een zin die tot Kualid was gericht. 'Aan de andere kant van het front, in het noorden, in Pansjir, zijn de begraafplaatsen hetzelfde, en ook de vlaggen van de martelaren zijn hetzelfde. Wie weet of de martelaren als ze elkaar in Allahs paradijs tegenkomen ophouden vijanden te zijn.'

Ook Kualid draaide zich om om de berg stenen te bekijken, maar het enige wat in hem opkwam, was dat hij leek op de berg die hij die ochtend had gemaakt om de linten te begraven, het graf van de dromen.

Toen ze aan de rand van de stad kwamen, kwam Kualid van de kar. Hij schaamde zich een beetje om gezien te worden terwijl zijn grootvader hem trok, zeker nu de wegen al druk waren met de gebruikelijke massa van fietsen, oude gele taxi's en zwermen voetgangers, tussen wie je af en toe aan de rand van de stroom mensen de gele of lichtblauwe boerka's van de weinige vrouwen op straat zag, als verschoten bloemblaadjes die door de stroom werden meegevoerd.

Zoals gewoonlijk leek hij de gave te hebben uit het niets op te duiken. Kualid zag ineens Kharachi op zijn karretje voor zich, precies midden op de weg, zodat grootvader een beetje vaart moest minderen om hem met zijn kar te kunnen ontwijken. Kualid zag dat Kharachi naar hem keek en hij wisselde een blik met hem, maar het was een scheve blik, niet direct, alsof hij hem met zijn ogen wilde vragen om hem niet te groeten. Bij het terugzien van de oude invalide man moest hij weer denken aan het broodje dat hij hem de dag daarvoor gegeven had. Hij had niets van dat voorval tegen zijn grootvader gezegd en nu was hij bang dat Kharachi er op de een of andere manier iets over zou zeggen, door er nog een te vragen of door hem te bedanken. Misschien kon Kharachi de blik van de jongen lezen of, nog waarschijnlijker, vervolgde hij gewoon zijn eigen pad. Toen Kualid en zijn grootvader bijna voor hem waren, zette de invalide man zich af met de twee stenen die hij vasthad en verdween snel in de stroom mensen, die zich even opende om hem door te laten en zich direct weer sloot, zodat hij aan het zicht onttrokken werd.

De plek waarop grootvader had afgesproken met de Pakistaanse koopman bevond zich aan de oostrand van het marktgebied. Ze moesten er een flink stuk van doorkruisen om hem te bereiken. Op de markt was de menigte nog drukker en grootvader had moeite om er met zijn kar door te komen. Mensen en karren zwermden alle kanten op en stokten bij groepjes mannen die aan het onderhandelen waren of gewoon tussen de koopwaar rondsnuffelden. De boerka's van de weinige vrouwen onderscheidden zich alleen van de hopen vodden op de stoepen door de hand die eruit stak, waarmee ze schuchter om een aalmoes vroegen. Aan de huid van de hand kon je afleiden of het om een oude verlaten vrouw ging of om een van de vele oorlogsweduwen, die nu alleen maar door armoede vergezeld werden.

Het was geen kleurige markt, er was überhaupt niet veel koopwaar. Armzalige dingen, over het algemeen: oude kleren, verroeste reserveonderdelen, stukken jonge geitjes opgehangen aan haken of op de stalletjes gegooid, maar in elk geval vol vliegen, flessen benzine of kerosine, stapels droog brandhout. Een kind, maar ietsje kleiner dan Kualid, zat gehurkt achter de lap waarop het zijn koopwaar had uitgestald: vier roze velletjes wc-papier.

Alleen het feloranje van een paar manden mandarijnen viel op in de stoffige eenvormigheid die alles en iedereen leek te omhullen. De winkeltjes waren gemaakt van het puin van wat ooit bouwsels waren geweest. Doeken bevestigd aan stukken verwoeste muur of oude verwrongen en verroeste lantaarnpalen deden dienst als luifels. Het leken vieze, bungelende spinnenwebben. Je rook niet de geur van specerijen die kenmerkend is voor de markten in het Oosten, maar alleen de lucht van verrotte groenten en bedorven vlees, vermengd met de zure stank van het rioolwater dat in de openlucht door noodkanaaltjes stroomde die tussen de weg en de stoepen waren uitgegraven. Je hoorde geen geschreeuw van verkopers of lawaai van de menigte. Ondanks het feit dat de markt stampvol was, leek alles zich zachtjes, bijna in stilte af te spelen.

En toch was Kualid ontzettend opgewonden door het spektakel van mensen en dingen dat de markt bood, en dat hem een feest leek. Het vervulde hem met nieuwsgierigheid en energie. Hij rende voor de door grootvader voortgetrokken kar uit om de weg tussen de mensen vrij te maken. Hij zwaaide met zijn armen, gebarend om opzij te gaan, alsof de koets van de koning voorbijkwam. Af en toe trok en duwde hij de voorbijgangers die stopten zelfs. Een van hen, een grote kerel van middelbare leeftijd met een dikke zwarte baard en een zak brood onder zijn arm, nam het niet goed op en gaf Kualid een harde duw midden op zijn borst die hem met zijn achterste op de grond deed terechtkomen. Maar de jongen was te opgewonden om erover in te zitten en terwijl de grote man hoofdschuddend verder liep en iets mompelde over de opvoeding van kinderen, stond hij met een ruk weer op en hervatte hij zonder zich te bekommeren om zijn met modder besmeurde broek opgewekt zijn taak: het vrijmaken van de weg. Hij draaide zich vaak om, om zich ervan te vergewissen dat zijn grootvader geen obstakels voor zich had. En zo botste hij tegen de benen van een verkeersagent op. De agent had een lange grijze baard, en het was niet duidelijk wie ouder was, hij of het versleten grijze uniform dat hij droeg. Het was een uniform uit de tijd dat er Russen in Kabul waren, of misschien nog daarvoor. Sindsdien betaalde niemand de verkeersagenten meer. Maar in Kabul bleven veel verkeersagenten uit trots voor het korps of omdat ze geen andere baan gevonden hadden hetzelfde werk uitvoeren. Ze werden getolereerd door de taliban en onderhouden door de bevolking, die hun af en toe iets gaf. Ze stamden dus allemaal uit een andere tijd, net als hun uniformen, waardoor ze zich in elk geval geen bedelaar voelden.

'Hé, jongen, kijk uit waar je loopt!' schreeuwde de agent tegen Kualid terwijl hij hem bij zijn schouders vastpakte.

'Neemt u me niet kwalijk meneer,' antwoordde Kualid en hij hief zijn hoofd op om naar hem te kijken, 'ik help mijn grootvader om de weg vrij te maken voor zijn kar,' en hij wees naar de oude man die er inmiddels aan kwam. De agent liet Kualids schouders iets losser en keek hem glimlachend van onder de rand van zijn pet aan. 'Dus je baant een weg voor je grootvader? Goed zo, je zou een uitstekende verkeersagent kunnen worden,' zei hij en hij bracht zijn gestrekte hand naar zijn slaap in een grappig bedoelde militaire groet, die Kualid beantwoordde door heel serieus en trots door het compliment in de houding te gaan staan. De agent groette ook zijn grootvader, niet op de krijgshaftige manier, maar gewoon met het traditionele gebaar van de hand op het hart. Zijn grootvader, die zijn handen op de bomen van de kar hield, antwoordde hem met een knikje van zijn hoofd. Kualid ging weer naast hem lopen.

De vrachtwagen van de Pakistaanse koopman was eigenlijk gewoon een bestelbusje en was versierd met zeer kleurrijke decoraties. Hij stond geparkeerd op een ruim, onverhard plein, dat tussen huizen en puin lag, direct tegen het marktgebied aan. De vrachtwagen viel op tussen de andere die op de open ruimte geparkeerd stonden. Sommige waren leeg, andere vol containers, brandhout of hoge stapels gasflessen. Een eindje verderop brandde een vuur van planken van kisten en pallets, waar een witte rook van afkwam, vies als de laatste hoopjes sneeuw die nog aan de randen van de open plek lagen. Een groepje mannen, sommige staand, andere gehurkt, verwarmde zich rond het vuur, hun handen richting de warmte uitgestoken. De Pakistaanse koopman stond met zijn schouders tegen de cabine van zijn bestelbusje geleund.

Het was een klein en enigszins dik mannetje. Het leek of hij onder zijn lange gewaad een watermeloen verborg, of dat was in elk geval wat Kualid dacht toen hij hem zag.

Hij had een heel donkere huid, met een verzorgd snorretje en op de punt van zijn neus prijkte een zonnebril met spiegelglazen en een merkwaardig felroze plastic montuur. Op zijn hoofd had hij een rond geborduurd mutsje dat was versierd met zilveren pailletten. Grootvader en de koopman begroetten elkaar door elkaars handen vast te pakken. Daarna wees de Pakistaan met een weids gebaar van zijn arm naar de balen kleding, die vastgebonden waren met ijzerdraad en de aanhangwagen van het busje vulden. Dat gebaar was het startsein van een bondige onderhandeling tussen de twee. De stem van de koopman die de kwaliteit en het voordeel van zijn waar ophemelde en die van grootvader die de redenen opsomde waarom de prijs moest zakken, gingen door elkaar heen, en soms was het echt moeilijk om ze te onderscheiden en de betekenis van de woorden te vatten. Misschien kreeg Kualid er daarom al snel genoeg van om de onderhandeling te volgen en bekeek hij het tafereel alsof het geluidloos was. Hij concentreerde zich meer op de gebaren dan op de woorden. Terwijl zijn grootvader stilstond, met zijn armen langs zijn zij en zijn handen tot vuisten gebald, alsof hij zich goed aan de grond wilde verankeren om niet door de stroom praatjes van de Pakistaan overweldigd en meegesleurd te worden, gebaarde die laatste met zijn armen en hoofd, en nu en dan ook met zijn hele lichaam, waarbij hij zich vooroverboog alsof de door grootvader voorgestelde prijs een dolksteek in zijn buik was. Direct daarna spreidde hij zijn armen om aan te geven dat hij niet verder kon gaan. De onderhandelingen werden echter geen moment onderbroken en de gebarendans leek eindeloos te duren. Kualid zag dat de buik van de Pakistaan in al dat drukke bewegen voortdurend op en neer sprong. Kijk, dacht hij, nu komt de watermeloen die hij onder zijn gewaad verbergt naar buiten. Hij stelde zich de ronde watermeloen voor die snel wegrolde, achternagezeten door de hijgende en druk gebarende Pakistaan.

Zijn grootvader was te druk bezig met afdingen om te merken dat Kualid langzaam wegliep. Een stap na een andere, zonder op te letten, volgde hij een toevallig traject, misschien wel dat van de denkbeeldige watermeloen, en zonder dat hij het ook maar merkte, bevond hij zich ineens in een menigte in een straat die aan de open ruimte grensde. Hij draaide zich om en zag dat zijn grootvader en de Pakistaan nog door hun zaken in beslag werden genomen, naast het kleurige busje. Gerustgesteld dat ze in het zicht waren besloot hij zich een beetje door de stroom mensen te laten meevoeren, gewoon om de verveling te verjagen. Hij was niet groter dan de benen van de mensen en had het idee dat hij zich in een levendig en stil bos bewoog, als het onregelmatige, lawaaierige geknetter van een of ander voertuig zonder knalpijp dat over de weg reed er niet geweest was.

Maar opeens opende het bos van benen zich en het viel wanordelijk in honderd verschillende kanten uiteen, alsof het werd verstoord door een plotselinge golf, aangekondigd door een schreeuw: 'Houd de dief!' In een ogenblik vermenigvuldigde het geschreeuw zich, het werd door meerdere stemmen hervat: 'Houd de dief, houd de dief, stop hem!'

Kualid werd bijna meegesleurd door iemand die wild rende en zijn ellebogen gebruikte om erdoor te kunnen. Hij kreeg maar net de tijd om hem te zien. Het was een jongeman met een gewaad dat in zijn haast wapperde, gescheurd, waarschijnlijk door iemand die hem in zijn kraag had proberen te vatten. Hij had niet het idee dat hij iets in zijn handen had, misschien had hij zich van de gestolen waar ontdaan om makkelijker te kunnen vluchten. Maar het ogenblik was voor Kualid voldoende om de angst in het gezicht van de voortvluchtige te zien, zijn ogen opengesperd, zijn lippen gespannen en halfgesloten, als een snijwond door een mes. Twee, drie pistoolschoten weerklonken dof en onverwachts en deden het geschreeuw verstommen van de menigte, die onmiddellijk uiteenweek zoals een school vissen die door een roofvis wordt doorkruist.

In de korte tijdspanne waarin andere schoten op de eerste volgden, wierp Kualid zijn lijf in de halfdonkere gang tussen de voordeur en binnenplaats van een van de vele winkels die op de stoep uitkwamen. Hij rolde naar binnen en voelde dat hij tegen iets op botste wat meteen viel, gevolgd door het metaalachtige geluid van voorwerpen die tegen elkaar aan vielen. Er druppelde een vochtige, kleverige substantie op hem, maar Kualid was te zeer geschrokken om het te merken. Hij rolde zich in de foetushouding op op de plek waar hij naartoe was gerold en kneep zijn ogen dicht om niets meer te zien, alsof dat elk gevaar kon weghouden. Hij had zijn ogen nog dicht toen hij een lage, enigszins norse stem hoorde die tegen hem tekeerging: 'En waar kom jij opeens vandaan?' zei de stem. 'Kijk nou toch eens wat voor een puinhoop je ervan hebt gemaakt.'

Kualid deed zijn ogen halfopen, net ver genoeg om het silhouet van degene die tegen hem sprak te kunnen zien. Hoewel hij hem van onderaf bekeek, zag hij meteen dat het zeker geen reus was. Hij spande zich in om hem scherper te zien en zag een kleine, tengere gestalte. Hij had zijn armen in zijn zij gezet om zichzelf iets dreigends te geven, maar zijn gezicht, dat hij zelfs in een frons hield, leek een timide aard te verraden, net als de dunne zwarte baard die zijn wangen omringde. Zijn ogen waren omlijst door een oude bril voor bijziendheid, met dikke, ronde glazen. 'Nou?' ging het mannetje verder. 'Kom je daar nog onder vandaan?'

In de haast van zijn vlucht was hij onder een tafel gerold, had hij een van de houten schragen waarop hij leunde en de plank omgegooid waarop verschillende blikken verf stonden, die op de grond gerold waren. Een ervan was opengegaan en de verf was op hem gedruppeld, waardoor hij met rood was besmeurd.

'Tjongejonge,' zei het mannetje toen Kualid eindelijk opstond en hij hem beter kon zien. 'Kijk nou hoe je jezelf hebt toegetakeld, helemaal vies van de verf, mijn verf. Wat denk je, dat ze me die cadeau doen? Dat ik die zomaar kan verspillen aan een jochie zoals jij?' Maar de boze uitdrukking van het mannetje veranderde al in een halve glimlach.

Kualid stamelde een beetje gegeneerd: 'Het spijt me, meneer,' terwijl hij zijn blik om zich heen richtte, deels om het mannetje niet te hoeven aankijken, deels omdat hij nieuwsgierig was naar de winkel. Er stonden potten met penselen in alle maten en vooral heel veel blikken van verschillende afmetingen, waaruit gekleurde druppels verf kwamen: geel, blauw en groen naast het rood dat op hem gemorst was. Die blikken leken wel een heleboel wonderlampen van Aladdin, die de geesten van de regenboog bevatten, die je overigens wel vaag kon zien, en die in hun eentje het halfduister dat de winkel omgaf konden verlichten.

'Nou?!' ging het mannetje door. 'Hoe lang wil je daar nog voor je uit staan staren? Ga terug naar waar je vandaan gekomen bent, want ik moet aan het werk. En nu moet ik ook nog opruimen wat jij omgegooid hebt.'

'Wat doe je met al die kleuren?' vroeg Kualid hem. Zijn verlegenheid had inmiddels plaatsgemaakt voor nieuwsgierigheid.

'Is dat niet duidelijk? Ik werk ermee. Ik schilder opschriften, uithangborden, verzen uit de heilige Koran. De mijne zijn de beste karakters van de hele stad, daar kun je om wedden, jongen. Maar ik zei al, wegwezen, laat me met rust. Allah zij met je.'

'Met jou zij Allah,' antwoordde Kualid en hij liep achteruit de winkel uit, want hij kon zijn ogen niet van de gekleurde blikken afhouden.

Babrak, zo heette het mannetje, was kalligraaf. Zijn kunst was een heel oude kunst, de enige die was toegestaan door de taliban, die niet alleen alle afbeeldingen van Allah of de mens, zoals de Koran leert, godslasterlijk vonden, maar elke vorm van tekenen of schilderen hadden verboden, uitgezonderd de verfraaiing van de lettertekens.

Terwijl Babrak zijn ronde bril goed op zijn neus zette en zich opmaakte om zijn winkel op te ruimen, rende Kualid alweer door de menigte, die de stoepen verlevendigde, naar de open ruimte waar hij zijn grootvader met de Pakistaanse koopman had achtergelaten. Hij had geen idee hoeveel tijd er voorbij was gegaan, de opwinding was te groot geweest: de dief, zijn angst en vooral de kleuren in de winkel van de kalligraaf. Hij was bang dat zijn grootvader, als de onderhandelingen waren afgelopen, hem zou gaan zoeken of ongerust en boos op hem was. Gelukkig kwam hij net aan toen zijn grootvader de Pakistaanse koopman, die inmiddels al in zijn busje wegreed, voor het laatst met zijn hand groette.

Drie grote balen kleding waren al op de kar gelegd en met touwen vastgezet: de Pakistaan had zijn grootvader na het sluiten van de koop blijkbaar geholpen. De oude man, die waarschijnlijk niet eens gemerkt had dat zijn kleinzoon was weggegaan, draaide zich om om hem te zoeken. En terwijl Kualid hem de onschuldigste glimlach toewierp die hij maar kon opzetten, bracht zijn grootvader zijn handen naar zijn slapen en slaakte een kreet van ontzetting.

'Kualid, wat is er met je gebeurd, mijn jongen? Waar ben je gewond?' De oude man leek op het punt te staan op zijn knieën te zakken.

Pas op dat moment bekeek Kualid zichzelf en besefte hij dat hij helemaal onder de rode verf zat. Hij rende om zijn grootvader te omhelzen, bijna om hem te ondersteunen: 'Er is niks, grootvader,' zei hij met een verstikte stem, 'ik ben niet gewond, het is maar verf, maak je geen zorgen, het is geen bloed.' En ondertussen omhelsde hij hem stevig. De oude man schoof hem van zich af door hem bij zijn schouders te pakken en bestudeerde hem een lang ogenblik in stilte, om zich ervan te verzekeren dat hij echt ongedeerd was.

'Kom Kualid, we gaan naar huis, help me de kar te trekken, de weg zal langer lijken nu de kar beladen is.'

De opluchting dat zijn kleinzoon ongedeerd was, was zo groot dat het niet eens in de oude man opkwam om te vragen hoe hij zich zo had kunnen toetakelen. En Kualid, die er beslist niet om zat te springen het onderwerp aan te kaarten, haastte zich meteen om een van de bomen van de kar te pakken.

Ze trokken al een tijdje toen grootvader zich naar de jongen omdraaide: 'Je moeder zal dat kledingstuk vast niet schoon kunnen krijgen,' zei hij tegen hem. 'Wanneer ik de balen die ik heb gekocht openmaak, hoop ik dat ik iets vind wat je goed past, als Allah het wil.'

De oproepen van de muezzins tot het avondgebed overvielen hen toen ze maar net iets verder dan halverwege waren. Ze zetten de kar aan de rand van de weg en grootvader rolde zijn gebedsmatje uit en begon Allah te bedanken. Kualid ging naast hem zitten en deed dat ook, terwijl de steentjes kuiltjes in zijn knieën maakten.

Die nacht snurkte grootvader, uitgeput door de werkdag, meer dan anders. Kualid was nog opgewonden door de belevenissen die hij had meegemaakt en deed daardoor geen oog dicht. De maan moest vol zijn, want de strook licht die door het doek bij de ingang naar binnen kwam, projecteerde de schaduw van de tuit van de theepot op de muur. Kualid staarde ernaar. Het was Asmar, de slang van de nacht: zijn vriend was hem weer komen opzoeken. Door naar hem te kijken leek het Kualid of hij bewoog. Hij had het idee dat zijn schaduw zich eventjes had bewogen, alsof de slang de muur wilde beklimmen en het plafond bereiken. Waarschijnlijk was het slechts een zuchtje wind geweest dat door het doek te bewegen heel kort een beetje licht had binnengelaten, maar Kualid interpreteerde het als een uitnodiging van Asmar om de heldere nacht in te gaan. Nee, Asmar, antwoordde hij hem in zijn gedachten. Het heeft geen zin dat je zo druk beweegt, vannacht heb ik geen zin om naar buiten te gaan om de maan te bekijken. Morgen ga ik met Said de gaten in de weg naar Jalalabad vullen en ik wil uitgerust zijn. En omdat de slang geen antwoord kon geven, hield hij op naar hem te kijken en draaide hij zich naar de andere kant om.

Daarna begon hij, zoals altijd wanneer hij de komst van zijn slaap opriep, met zijn nagel het gat in de muur uit te diepen. Maar ditmaal stelde hij zich ineens voor dat hij op zijn vingertoppen iets vloeibaars en diks voelde in plaats van de korrelige droge modder, zoiets als de verf die in de winkel van de kalligraaf op hem was gemorst. Terwijl hij in slaap viel, fantaseerde hij dat uit het gat in de muur straaltjes van dezelfde kleuren opwelden als die hij op de verfblikken had gezien.

's Ochtends, toen hij wakker werd, was hij lichtelijk verbaasd dat hij er geen sporen van op de muur vond. Zijn fantasie was zo levendig geweest dat het bijna een droom leek.

Het was een onbewolkte dag, aangekondigd door een lichte dageraad die al oploste in het felle blauw van de hemel. Samen met een aantal buren was grootvader bezig met het openmaken van de balen tweedehandskleding die hij van de Pakistaan had gekocht, om de kleren uit te zoeken die hij de volgende dag naar de markt zou brengen om te verkopen. Maar Said had zich nog niet vertoond. Kualid zat in spanning voor hun huisje op hem te wachten. Om de tijd te doden was hij de twee schoppen al gaan halen. En nu zat hij daar, met een schop in zijn ene hand en de andere in zijn andere hand, in de hoop zijn neef elk moment te zien verschijnen.

De zon rees steeds hoger, maar Said kwam niet. Kualid, die het wachten niet langer volhield, legde de twee schoppen op zijn schouders en begaf zich met vlugge pas naar het huis van zijn neef.

De woning van Said was niet zo ver weg, dus deed Kualid er niet lang over. Maar toen hij er aangekomen was, stopte hij niet ver van het huisje van droge modder omdat hij zag dat de hele familie van zijn neef buiten stond. Zijn moeder, bedekt door een boerka, hield haar kleinste zoon in haar armen. Het kind leek door een blauwe wolk overeind gehouden te worden. Zijn bovenlichaam, armpjes en pafferige gezicht kwamen uit de plooien van de boerka tevoorschijn, net als de hand van de vrouw, die de hand van een van Saids zussen vasthield. De andere, iets grotere zus en broer stonden vlak bij haar. Said en zijn vader stonden een beetje terzijde, alsof ze op het punt stonden weg te gaan, maar niemand bewoog.

Kualid begreep dat er iets te gebeuren stond, maar kon zich niet inhouden en riep naar zijn neef: 'Said! Said! We moeten naar de weg naar Jalalabad, weet je nog?'

Het leek of die roep een zuchtje beweging in dat onbeweeglijke tafereel had gebracht. Said draaide zich naar Kualid toe, daarna naar zijn vader, die hem toeknikte. Met een paar stappen bereikte hij zijn neef. Nu stonden ze tegenover elkaar, in stilte keken ze elkaar aan. En Kualid was zeker het meest verbaasd. Degene die hij voor zich had, leek een andere Said. Hij droeg een lange witte, schone kaftan, een donker vest en op zijn hoofd droeg hij een kalotje, ook wit. Maar wat hem het meest trof, was de uitdrukking op zijn gezicht. Het leek of hij de vrolijke eigenwijsheid die hem nooit in de steek liet, kwijt was en daarvoor in de plaats zat nu een serieus masker, dat een beetje bedroefdheid niet helemaal kon verhullen.

De stilte werd door Said onderbroken. 'Ik kan niet mee naar de weg naar Jalalabad, Kualid,' zei hij met een stem die ernstig wilde klinken. 'Ik kan er nooit meer mee naartoe gaan, dat zijn dingen voor kinderen. Ze hebben me op de Koranschool aangenomen. Mijn vader brengt me naar de madrassa, waar ik moet verblijven. Gisteren, toen we elkaar tegenkwamen, gingen we de laatste afspraken met de moellah maken.'

'Maar betekent dat dan dat we elkaar niet meer zien?' vroeg Kualid met een onverholen vleugje ongerustheid in zijn stem.

'We zien elkaar als Allah het wil,' antwoordde Said.

Op dat moment bereikten de korte woorden van zijn vader hen: 'Said, we gaan!'

'Ik moet gaan. Dag, de vrede zij met je.' Said keerde zijn rug naar hem toe en rende naar zijn vader.

Kualid kon geen woorden vinden, zelfs niet om de groet van zijn neef te beantwoorden. Hij opende zijn hand in een gebaar dat zijn neef niet eens zag. En hij bleef daar naar hem staan kijken toen hij met zijn vader wegliep naar de hoofdweg, terwijl de rest van de familie de woning weer binnenging, die hen een voor een leek op te slokken.

Pas toen Said en zijn vader onder de verhoging in de weg verdwenen waren, onder aan de helling, besloot Kualid de schoppen van de grond te pakken en weer naar huis te gaan. Een merkwaardige gedachte schoot door zijn hoofd, de enige die hij nog kon loskrijgen van die verdovende sluier die hem leek te omhullen: hij heeft me niet een keer Muis genoemd. En dat bezorgde hem al een scheutje weemoed.

Nadat hij de twee schoppen achter de muur van het huis had gezet, begon Kualid doelloos te lopen. Het was inmiddels te laat om naar de weg naar Jalalabad te gaan en het idee om de gaten zonder het gezelschap van zijn neef te gaan vullen leek de melancholie die hem door zijn afwezigheid al snel zou overvallen aan te wakkeren. Het programma van de dag was sowieso verstoord. Kualid zette zijn ene voet na zijn andere neer, zonder ergens aan te denken, alleen oplettend om niet weg te glijden langs de helling die naar de stad afdaalde. Het scheelde niet veel of hij werd aangereden door een van de vele zware Chinese fietsen die door de straten van Kabul reden. De man die hem bestuurde, moest zijn voeten op de grond zetten om vaart te minderen. Waarschijnlijk deden de remmen het al lang niet meer. Hij ontweek de jongen maar net en trapte weer op zijn krakkemikkige fiets, nadat hij er na een halve schuiver de controle over terugkregen had. Ook Kualid kreeg weer vat op zichzelf. Hij keek naar de man die wegfietste en ving nog net zijn verwensing op.

Hij besefte pas dat hij bij de winkel van de kalligraaf

was aangekomen toen hij er, Allah mag weten hoe, opeens voor stond. Hij was ervan overtuigd dat hij maar wat had rondgeslenterd niet met de bedoeling naar een precieze plek te gaan. En toch, te zien aan de ongeduldige blik die het mannetje hem af en toe toewierp, moest hij daar al enige tijd naar hem hebben staan kijken. Het was of hij gehypnotiseerd werd door de bewegingen van Babrak. Hij zag hem het penseel met spaarzame, afgemeten gebaren in de potjes verf dopen, alsof een enkele, meer abrupte beweging de juiste tint kon laten ontsnappen en de kleuren dof kon maken. Hij keek aandachtig naar de sierlijkheid van de karakters die de kalligraaf op een houten bord schilderde dat op de werktafel lag. Het leek of die vormen, eerst scherp en daarna breder, vanzelf uit de haartjes van het penseel voortkwamen, maar daarna zag hij dat de hand van de kalligraaf het penseel eerder leek te strelen dan vast te houden, bijna alsof hij het met tederheid wilde sturen naar waar hij wilde.

'Nou? Ben je van plan daar de hele dag doodstil te blijven staan?' zei Babrak, die het jongetje herkende dat de dag ervoor zijn winkel overhoop had gehaald. 'Als mijn werk je zo nieuwsgierig maakt, kom dan hier en help me een handje.'

Kualid werd overweldigd door opwinding. Uit verlegenheid kon hij weliswaar geen woord uitbrengen, maar het verlangen om deel te nemen aan iets wat hem een magisch ritueel toescheen en daar zelfs in ingewijd te worden, spoorde hem aan om in beweging te komen. In een oogwenk stond hij al naast de kalligraaf en hij keek hem vragend aan.

'Hier,' zei Babrak op overdreven serieuze toon. 'Dit is een penseel, pak het maar.'

Kualid pakte het direct vast en klemde de steel in zijn vuist.

'Ho ho,' hervatte het mannetje, 'je houdt het als een stok vast, zo moet je het niet vasthouden. Je hoeft er niemand mee op zijn kop te slaan. Kijk.' Babrak opende Kualids vuist voorzichtig en legde het penseel met zijn dunne vingers tussen die van de jongen nadat hij ze op de juiste manier had geplaatst. 'Zo, nu gaat het al beter,' zei hij. 'Kijk, zo kun je het beheersen en leiden zoals je wilt. Denk maar dat het penseel iets levends is en dat jouw vingers dienen om het te temmen. Precies zoals je een paard temt, met vastberadenheid, maar ook door het zijn zin te geven. De haartjes van het penseel zijn trouwens echt van paardenhaar,' zei hij tot slot, en hij haalde Kualids haar even door de war, precies zoals zijn grootvader af en toe deed.

Kualid had nog geen woord gezegd, hij bekeek het penseel geconcentreerd en lette goed op dat hij de positie van zijn vingers zoals Babrak ze had geplaatst niet veranderde. Hij spande zich in om zijn hand niet te laten trillen, alsof het penseel van teer glas was gemaakt, het dunne, lichtblauwe glas van de ampullen van Herat, en net als dat van het ene op het andere moment in duizend stukjes kon vallen.

'Kom,' zei Babrak terwijl hij een hand op zijn schouder legde, 'eerst moet je leren hoe je de kleuren mengt.'

Ze liepen naar een blad dat op twee houten schragen lag en waarop een nette rij potjes stond.

Het is vast uitgerekend het blik dat ik gisteren heb

omgegooid, dacht Kualid en even was hij bang dat de kalligraaf hem een uitbrander wilde geven voor de ramp die hij had veroorzaakt.

Maar Babrak had het er niet over. Hij leidde alleen Kualids hand naar een van de blikken. 'Dit is blauw,' zei hij. 'Kijk, doop het penseel er lichtjes in en haal het dan langs de rand van het potje om het teveel aan verf eraf te halen. Zo, heel goed.'

Kualid bekeek de met kleur doordrenkte haartjes van het penseel en het voelde voor hem alsof hij die uit de hemel had gestolen.

'Strijk de verf nu in dit schone kommetje,' ging Babrak verder. 'Mooi, maak het penseel nu goed met de doek schoon en neem dan wat rood, maar niet te veel, een klein beetje maar.'

Kualid volgde de aanwijzingen van de kalligraaf op en mengde het rood met het blauw in het kommetje.

'Zie je wat een mooi paars we hebben gemaakt!' zei Babrak. 'Van twee of meer kleuren kun je oneindig veel andere maken, een onuitputtelijke regenboog.'

Kualid staarde gefascineerd naar het paars dat op wonderbaarlijke wijze in het kommetje was verschenen. Hij kon niet geloven dat hij het had doen ontstaan, en daarna ging zijn blik van het kommetje naar het glimlachende gezicht van de kalligraaf, alsof hij hem om een bevestiging van die betovering wilde vragen. Samen met de kleuren mengden zich ook de tijdstippen van die dag. Geel met rood dat het oranje van de zomerzon gaf, blauw met geel en je had groen, maar niet een vies en vaalgroen zoals dat van de vlaggen van de martelaren op de begraafplaats, dacht Kualid, maar een levendig, felgroen. Door de stemmen van de muezzins die uit de minaretten opriepen tot het avondgebed besefte Kualid hoeveel tijd er voorbijgegaan was.

Babrak haastte zich om zijn gebedsmatje uit te rollen en alle activiteiten te staken, Kualid knielde naast hem neer. Het was helemaal stil, terwijl de echo van het gezang van de muezzins in de windstille lucht verdween.

Plotseling kondigde het oorverdovende geronk van een pick-up de komst van een patrouille van de moraal-politie van de taliban aan. Het was een speciaal korps, dat de precieze taak had zich ervan te vergewissen dat de geboden uit de Koran, of althans de interpretatie die de taliban eraan gaf, naar de letter werden gevolgd. Vaak reden ze tijdens de gebedstijden door de straten van de stad om te controleren of niemand het waagde zijn acti-viteit voort te zetten zonder respect voor de religieuze plicht om die te onderbreken.

Met zijn voorhoofd op de vloer van de winkel keek Kualid stiekem naar de voorbijtrekkende moraalhoeders. Met hun donkere gezichten, tulbanden en baarden ston-den ze in de laadbak van de pick-up met kalasjnikovs in hun hand om zich heen te kijken, klaar om het gering-ste teken van beweging op te vangen. De pick-up reed snel weg en nam hen weer mee. Net als schaduwen, dacht Kualid, die verdwijnen als een wolk de zon bedekt.

'Het is al laat, meneer.' Dat waren de eerste woorden die Kualid die dag tegen de kalligraaf kon uitbrengen. 'Ik moet naar huis.'

'Ga maar, jongen,' zei Babrak tegen hem. 'Maar je hebt me niet eens je naam gezegd.'

'Muis, ik heet Muis,' antwoordde Kualid hem vlug,

zonder zich de tijd te gunnen om te bedenken waarom hij dat had geantwoord, waarom hij de bijnaam die Said hem had gegeven, had gebruikt in plaats van zijn echte naam. Hij zag de enigszins onthutste uitdrukking van Babrak, die hem gedag zei: 'Oké, Muis. De vrede zij met je. En kom maar terug wanneer je wilt.'

'Met jou zij de vrede,' antwoordde Kualid, terwijl zijn benen uit zichzelf leken te bewegen, en hij begaf zich bijna hollend naar de weg naar huis. Hij rende om de opwinding die hij die dag had opgehoopt te ontladen. Hij rende van blijdschap om dat 'kom maar terug wanneer je wilt'. Hij rende om niet nog een keer in de stad verrast te worden wanneer het uur van de avondklok al was aangebroken.

Said proefde de warme smaak van de gekookte ram die hij tijdens de lunch met de andere leerlingen van de Koranschool had gegeten nog in zijn mond. Nu zat hij met hen in een vertrek van de madrassa met een laag plafond en kale muren. De vloer was bedekt met verschillende tapijten waarop hij en zo'n dertig van zijn kameraden gehurkt zaten, terwijl ze het heilige boek de Koran open in hun handen hielden.

De meester, een lange, dunne man met een dikke grijze kroesbaard die tot zijn borst kwam, las staand enkele verzen uit het heilige boek voor. De leerlingen moesten ze meerdere keren in koor herhalen. De lessen bestonden min of meer hieruit en ze volgden elkaar elke dag hetzelfde op. Soms gebeurde het dat een moellah zijn interpretatie van de teksten kwam geven, waarbij hij de betekenis uitlegde en de jongens tot het enige geloof aanspoorde, maar meestal moesten ze alleen de verzen uit hun hoofd leren. Maar dat was nog niet zo eenvoudig, want ze waren in klassiek Arabisch geschreven en voorgedragen, en bijna niemand begreep de betekenis ervan. Het was waarschijnlijk daarom dat het Said, zoals nu, vaak gebeurde dat hij werd afgeleid. Zodra hij de indruk had dat de meester niet naar hem keek, deed hij niet meer mee aan het monotone koor van zijn kameraden en begon hij met zijn tong een wellustig onderzoek tussen zijn tanden en gehemelte naar de restjes van de ram.

Het onderzoek en het koor werden abrupt onderbroken door de komst van een groep mensen in het leslokaal die de meester hartelijk begroette voordat hij opzijging en zijn plaats midden op het podium afstond.

De groep bestond uit een nogal stevige moellah, wiens baard zijn pafferige gezicht niet kon verhullen, een kleine man die een bril met een rond montuur droeg, nog een man die over zijn overjas een camouflagejack droeg en op zijn schouders een kalasjnikov had met een met gekleurde en glimmende stroken plakplastic versierde kolf, en twee jongens, niet veel ouder dan Said. De kleine man met de ronde bril ging tussen de twee jongens staan en duwde hen een stukje voor zich uit door op de schouder van beiden een hand te leggen. Daarna begon hij op gezwollen monotone toon te spreken, alsof hij dezelfde dingen al oneindig vaak had herhaald. Het was een voordracht die de religieuze eigenschappen prees die de twee leerlingen hadden getoond, de zelfopoffering en vooral het feit dat ze hadden laten zien dat ze het waard waren om strijders van de heilige oorlog te worden. Hij wees hen aan als voorbeeld voor alle anderen, die hen in stilte gadesloegen. De dikkige moellah stemde alleen maar met hoofdknikjes en glimlachen met de loftuitingen in, alsof hij de woorden van de kleine man zegende, terwijl de man met de kalasjnikov zwijgend aan de kant stond, zijn blik opgesloten in zijn zwarte baard, als ogen die heimelijk vanuit het diepst van een haag turen.

Hij kon niet zeggen waarom, maar naarmate de kleine man verder praatte, voelde Said de smaak van de ram op zijn gehemelte minder worden, tot hij de jongens met een droge mond opnam. De stevigste had ondanks zijn uiterlijk een timide, enigszins verwarde, bijna kinderlijke uitstraling. Het leek of hij er alles voor over had gehad om daar niet te hoeven zijn, als voorbeeld met alle aandacht op zich gericht, maar desondanks probeerde hij zich een houding te geven. De ander, die een nogal tenger lichaam had, nog getekend door de voor de puberteit typerende vreemde verhoudingen, probeerde het geheel dat helemaal niets van een oorlog had te compenseren door een overdreven trotse en agressieve frons op zijn gezicht te toveren. Op Said kwam het allemaal een beetje komisch over, hoewel hij er – misschien door zijn droge mond – niet om kon lachen. Sterker nog: hij dacht, en daar schaamde hij zich meteen voor, dat hij in hun plaats bang zou zijn geweest en dat zijn droge lippen een symptoom van die angst moesten zijn.

Kualid was nadat Said vertrokken was, geregeld teruggegaan naar de weg naar Jalalabad om gaten te vullen. Nu ging hij er met een andere jongen heen, Kader.

Kader had ongeveer dezelfde leeftijd als Kualid, maar zag er jonger uit. Hij leek een en al ogen, zo groot waren ze, of misschien ontstond die indruk door het feit dat zijn gezicht heel fijne trekken had, zoals ook de rest van zijn lichaam tenger was. Zijn armen en benen leken dunner dan de steel van de schop die hij vasthield.

Kader liep altijd een pas achter Kualid. Hij kwam niet vaak naast hem lopen wanneer ze naar hun plek op de weg liepen. De lange wandelingen speelden zich dan ook meestal in stilte af. In ruil daarvoor deed Kader zonder te discussiëren alles wat Kualid hem zei. Hij discussieerde niet eens over de verdeling van de fooi en het voedsel dat ze aan het eind van de dag hadden verdiend.

Kualid had daar wel eens van geprofiteerd door iets meer te nemen dan wat hem toekwam. Maar niet vaak, want elke keer als het was gebeurd, had hij zich schuldig gevoeld. Hij had het niet uit begerigheid gedaan, eerder uit boosheid. Hij had onmiddellijk beseft dat Kader hem als de baas zag, dat hij bescherming van hem verwachtte, en hoewel hem dat enerzijds bevredigde en zich belangrijk deed voelen, maakte het hem anderzijds nerveus. Hij voelde zich opgezadeld met een ongewenste verantwoordelijkheid en de schaapachtige volgzaamheid waarmee zijn nieuwe kameraad al zijn bevelen uitvoerde, irriteerde hem nog meer, want Kaders enorme ogen vulden zich met een even eindeloze als passieve bewondering voor hem. Meer dan hij verdiende, daar was hij van overtuigd.

Die gedachte bezorgde hem het vervelende gevoel dat hij tekortschoot, wat net zo beklemmend was als de bewondering van Kader. Hij had wel eens geprobeerd

Kader van zich af te schudden door hem te beledigen en hem Spin te noemen vanwege zijn iele ledematen. Soms had hij op het punt gestaan om hem te slaan na een of andere onbeduidende stommiteit die als aanleiding kon dienen, maar hij had hem hooguit aan zijn knokige schoudertjes geschud. Hoe zou hij hem echt kunnen slaan, zo'n tere jongen? En bovendien reageerde Kader nooit, niet op de beledigingen en ook niet op het schudden. Hij boog alleen maar zijn hoofd en daarna, als het voorbij was, keek hij hem weer aan met zijn grote ogen, waaruit die onnozele, hardnekkige bewondering met geen mogelijkheid gewist kon worden. Er verscheen hooguit een verbaasde uitdrukking die hij niet in een vraag kon verwoorden. Daardoor voelde Kualid zich telkens weer schuldig en dat maakte hem nog bozer.

Hij zou nooit hebben toegegeven, zelfs niet tegenover zichzelf, dat die boosheid kwam door het feit dat Kader Said niet was. Sterker nog: hij probeerde altijd om niet aan Said te denken. De gedachte aan zijn neef stemde hem verdrietig, en hij was liever boos dan verdrietig.

Waarschijnlijk reageerde hij daarom die ochtend onaardig op Kader, die hem was komen ophalen met zijn schop al op zijn schouder. 'Wat wil je nou van me?' had hij hem toegeschreeuwd. 'Je loopt me steeds voor de voeten. Ik heb belangrijker dingen te doen dan gaten vullen. Ik ben kalligraaf, begrepen? Een schilder!'

Hij wist zelf niet eens waarom hij die zin met zo'n onverbiddelijke bewering had afgesloten. Hij was weliswaar vaak naar de winkel van Babrak teruggegaan, hij had hem nog een keer geholpen met verf mengen, en misschien was het juist wel daarom dat Babrak zijn bezoekjes toestond, maar om nou te zeggen dat hij kalligraaf was, ging te ver, en bovendien kon hij niet eens lezen en schrijven. Hij bleef niet lang bij die gedachte stilstaan. Hij wilde Kader geen tijd geven om hem te antwoorden, en hij wilde vooral zichzelf niet de tijd geven om zijn grote bewonderende maar droeve ogen te zien. Hij draaide zich met een ruk om zodat hij zijn rug naar hem toe had gedraaid en begon langs de helling omlaag te rennen richting de weg naar de stad. 'Ga die gaten maar alleen vullen!' riep hij nog zonder zich om te draaien.

'Hé, je bent helemaal bezweet en buiten adem. Ben je in een steenlawine van de berg af gerold?' vroeg Babrak hem, terwijl hij de hand die hij over zijn vochtige haar had gestreken terugtrok en aan zijn gewaad droogde.

'Mag ik blijven?' antwoordde Kualid abrupt, om vragen te vermijden. Hij was echt als een steenlawine naar de winkel van de kalligraaf gerold. Hij had de hele weg rennend afgelegd zonder ook maar één keer te stoppen, omdat hij het idee had gehad dat die bewering 'ik ben kalligraaf, begrepen?' meer waar zou zijn op het moment dat hij in de winkel van Babrak zou zijn geweest, dus had hij haast gehad om ernaartoe te gaan, om het te bevestigen. Die dag concentreerde hij zich nog meer op het mengen van de kleuren in de kommetjes. Daarbij probeerde hij zijn eigen gebaren de zekerheid en vloeiendheid te geven die hij in de gebaren van Babrak waarnam terwijl die zijn opschriften schilderde. De kalligraaf merkte zeker ook met hoeveel koppige precisie Kualid zijn taakjes uitvoerde, zodat hij aan het eind van de dag besloot hem te belonen met een verkreukeld bankbiljet dat hij uit een zak van zijn overjas haalde.

'Kijk eens, meneer Muis,' zei hij op een geamuseerde en enigszins plechtige toon. 'Dit is om de hulp die je me hebt geboden te belonen.' Hij bleef een beetje verbaasd staan toen Kualid het briefje pakte en zonder het een blik waardig te keuren wegstopte, alsof hij er totaal geen belang aan hechtte. 'Nou, wat is er?' vroeg hij, 'vind je het te weinig? Zo weinig dat je niet eens dankjewel zegt?'

'Nee, nee, het is goed, meneer, bedankt,' stamelde Kualid.

'Kom eens hier,' zei de kalligraaf, die een glimlach op het gezicht van de jongen wilde zien. 'Ik zal je een cadeautje geven.' Van een plank pakte hij een vel karton, hij hurkte op de grond neer en nodigde Kualid uit om dichterbij te komen.

'Ik weet dat je geen Muis heet,' zei hij. 'Je naam is Kualid, het is je een keertje ontvallen en ik herinner het me nog. Nu schrijf ik jouw naam in mooie karakters op dit karton en daarna mag je het mee naar huis nemen. Dan vergeet je je naam niet meer,' voegde hij er lachend aan toe.

Uit een oud doosje met een opschrift in cyrillisch schrift haalde hij een staafje houtskool en daarmee begon hij de naam van de jongen op het karton te tekenen. Met een oog volgde hij de tekening en met het andere bespiedde hij Kualids gezicht om diens uitdrukking te zien, en zo merkte hij dat de jongen meer naar de bewegingen van zijn hand keek dan naar de tekens die hij aan het maken was.

'Zo, klaar,' zei hij tegen hem en hij liet het karton zien. 'Wat vind je ervan?'

Kualid glimlachte, maar Babrak merkte dat zijn blik, nadat die even op de tekst was blijven rusten, weer snel naar zijn hand was verplaatst, die het staafje houtskool nog tussen zijn vingers hield. 'Ik snap het al,' zei hij. 'Dit interesseert je het meest. Goed dan, dat betekent dat ik je behalve je naam ook dit staafje houtskool geef, misschien leer je daar zelf wel mee schrijven.' Kualid greep het karton en de houtskool en zijn glimlach werd direct opener en stralender. Babrak kreeg amper de tijd om zijn lach te zien, want de jongen rende al weg. Zoals altijd gaf de opwinding hem vleugels.

Het begin van de lente kondigde zich steeds duidelijker aan. De hopen vieze sneeuw waren verdwenen, op magische wijze opgeslokt door de eerste warmte, en de modder begon op te drogen, klaar om te veranderen in het fijne stof dat de lucht ondoorzichtig zou maken op de zonnige dagen die eraan kwamen. Maar de nacht was helder en licht. Kualid lag op zijn matje te woelen en kon de slaap niet vatten.

Hij dacht terug aan de trotse uitdrukking van zijn grootvader toen hij hem het bankbiljet overhandigde dat hij bij de kalligraaf had verdiend. De zaken met de Pakistaan gingen goed. De oude man had nog meer partijen tweedehandskleding gekocht om op de markt door te verkopen. Kualid was blij dat zijn bankbiljet kon bijdragen aan dat handeltje, dat er al voor had gezorgd dat de rijst van de familiemaaltijden veel vaker dan voorheen vergezeld ging van sappige stukken vlees. Het karton met zijn naam had hij onder zijn mat verstopt. Dat had hij niet aan zijn grootvader laten zien, deels omdat hij zich ervoor schaamde, en zijn grootvader kon trouwens ook niet lezen en schrijven, dus was Kualid bang geweest hem te vernederen. Het houtskooltje draaide hij daarentegen nog wel tussen zijn vingers. Hij vond het fijn om het lichte stof dat het op zijn vingertoppen achterliet te voelen. Het deed hem denken aan dat van de vleugels van de vlinders die hij wel eens had weten te vangen. Hij keek ernaar en vroeg zich af of het juist dat stof was dat de houtskool de magie gaf om tekens te scheppen, zoals het stof van de vleugels de vlinders de magie van het vliegen gaf. Toen hij eindelijk voelde dat de slaap kwam en zijn ogen dichtvielen, legde hij het houtskooltje neer, tussen zijn matje en de muur van modder.

Maar zoals hij gekomen was, schoot de slaap in stilte weg, en Kualid lag weer met zijn ogen open. Hij draaide zijn pupillen heen en weer in een poging de vage vormen in de nog schemerige kamer beter te zien tot zijn blik zich op de contouren richtte die een straal van de maan op de muur projecteerde. Asmar, de slang van de nacht, was hem komen opzoeken. Zijn zwarte schaduw stak duidelijk tegen de muur af. Kualid haalde zijn ogen niet van hem af, alsof hij hem niet toestond om te verdwijnen. Intussen zocht hij op de tast het houtskooltje. Toen hij het tussen zijn vingers had, begon hij langzaam van het matje op te staan, alsof een iets abruptere beweging Asmar zou kunnen laten vluchten. Lopend op handen en voeten, als een jager die zijn prooi benadert, bereikte hij eindelijk de muur. De hand die het houtskooltje vasthad, trilde niet, ondanks het feit dat zijn hart snel klopte van de opwinding. Hij was stil en zeker toen hij de omtrek van de schaduw op de muur begon te schetsen door de ongrijpbare lijn van het silhouet nauwkeurig te volgen. Door de wrijving maakte de houtskool een zacht geluid op de ruwe muur, net als dat van droge bladeren wanneer je erop stapte. In de stilte van de kamer, die alleen door het ritmische gesnurk van zijn grootvader werd onderbroken, leek dat geluid door te dreunen.

Zo, zei Kualid in gedachten tegen Asmar, nu kun je niet meer vluchten. Je moet op de muur blijven, of er nu wel of geen maan is om de nacht op te klaren. Sterker nog: je bent er ook overdag, en ik kan je bekijken wanneer ik maar wil.

Terwijl hij naar de figuur op de muur bleef kijken, veegde Kualid zijn hand die vies was van het stof van de houtskool af aan de grond. Na een tijdje besloot hij op zijn matje te gaan liggen. Hij legde het houtskooltje neer en viel in slaap. Het laatste beeld dat hij nog voor zich zag, was dat van Asmar, vastgelegd op de muur.

En het was ook het eerste wat 's ochtends aan hem verscheen, toen hij zijn ogen opendeed. Daar is hij dan, dacht hij, het is me echt gelukt om hem te vangen, hij is er niet samen met de nacht vandoor gegaan. De zwarte omtrek tekende duidelijk de ruimte af die Asmars schaduw had bezet.

Kualid was hem zo geconcentreerd aan het bewonderen dat hij niet merkte dat zijn grootvader, die al wakker was, hem ook bekeek. Hij schrok op toen hij de stem van de oude man hoorde: 'Is dat jouw werk?' Zijn grootvader wees met zijn stijve vinger naar de tekening op de muur. Kualid draaide zich om om zijn gezicht te bekijken en hij was verbaasd dat hij geen boze trekjes tussen zijn rimpels zag. Eerder een teken van onthutsing, uitgedrukt door de dikke, grijze, tot zijn voorhoofd opgetrokken wenkbrauwen.

'Ja, die heb ik vannacht gemaakt,' gaf hij toe.

'En mag ik ook weten wat het voorstelt?' vroeg zijn grootvader toen. In zijn stem zat geen spoortje sarcasme, alleen een nieuwsgierigheid, die hem een grappig, bijna kinderlijk timbre gaf.

Kualid was nog verder gerustgesteld en antwoordde in één ruk: 'Het is Asmar, grootvader, de slang van de nacht.'

Door de verbazing van de oude man besefte Kualid dat zijn grootvader niet van Asmar kon weten. Hij had hem er nooit over verteld. Hij had er nog nooit met iemand over verteld. Hij was zo gewend hem te zien dat hij ervan was uitgegaan dat iedereen hem kende.

'Het doet me denken aan het verhaal van de draak van Charkh*,' zei de oude man alsof hij in zichzelf praatte, met zijn blik op de tekening op de muur gericht. Intussen had zijn moeder de thee gebracht en was op haar hurken gaan zitten om te luisteren naar grootvader, die het verhaal van de draak was begonnen te vertellen. Kualid herinnerde zich dat zijn grootvader hem graag oude legendes vertelde toen hij jonger was, maar dat deed hij al een tijd niet meer. Hij hield zijn adem in uit angst dat het minste of geringste geluid hem van zijn verhaal zou afleiden.

*De legende van de draak van Charkh is ontleend aan *La collina delle sabbie che corrono. Leggende afgane* (a cura di Mimmo Frassineti), Le impronte degli uccelli, Rome, 2002.

De stem van de oude man leek, als een echo, uit een verre tijd te komen, en zelfs de man leek, met zijn ogen steeds op de tekening gericht, volledig in het verleden teruggeworpen.

'Heel lang geleden kwam er in Charkh, in het dal van Logar, een heilige aan met de naam Shah Mahayudin. De inwoners van dat dorp werden al tijden geterroriseerd door een draak die uit de heuvels afdaalde om zijn dorst te lessen in de rivier de Logar. Pas wanneer hij die had drooggelegd, keerde hij, gigantisch en opgeblazen, terug naar zijn hol. Meerdere keren hadden ze gepland hem te doden, maar wanneer het monster er dan aan kwam, konden ze niks anders dan zich trillend in hun huizen opsluiten in de hoop dat hij genoegen nam met het water van de rivier...'

De thee dampte niet meer in de pot, hij werd koud, maar geen van hen, noch Kualid, noch zijn moeder, had hem in de glazen geschonken. Het was de taak van zijn grootvader, maar die ging verder met zijn verhaal, met zijn handen in zijn schoot gekruist. 'Op een dag bedachten ze dat de heilige Shah Mahayudin hen misschien zou kunnen helpen, dus gingen ze hem halen. De heilige zat onder een grote boom met gebladerte als een paraplu te mediteren. "Ik help jullie," zei hij, "als jullie een deel van jullie spullen aan de armen geven, zodat ze kunnen eten." Iedereen ging akkoord en ze brachten huiden, eieren en manden graan. Shah Mahayudin hakte meerdere bomen om en bouwde een enorme kooi in de rivierbedding. Daarna wachtte hij af. Het beest verscheen na dertig nachten om zijn vreselijke dorst te lessen...'

Het gezang van de muezzins voor het gebed drong de stilte binnen die voelbaar was geworden rond grootvaders verhaal. Kualid stond automatisch op om het gebedskleedje van de oude man te pakken, maar hij stopte omdat hij merkte dat zijn grootvader geen aanstalten maakte om het verhaal te onderbreken. Hij vroeg zich af of hij zo op het vertellen geconcentreerd was dat hij de oproepen van de muezzins niet had gehoord of dat hij met het ouder worden gewoon wat dover werd. Ook zijn moeder had zich niet bewogen, dus zei Kualid niks en luisterde hij.

'Zodra hij begon te drinken, koos Shah Mahayudin een kiezelsteen van de oever, mikte zorgvuldig en raakte een van zijn felrode ogen. De draak viel in de golven en de heilige zei tegen hem: "Draak, nu moet je opstaan en mij volgen." Het monster verrees uit het water en volgde hem mak tot aan zijn stoel onder de boom met het gebladerte als een paraplu. "Nu, Draak, zul je voor de rest van je leven in deze kooi wonen. Elke vrijdag mag je je dorst lessen. Op die dag ga je in de vorm van een kleine, snelle zwarte slang naar de rivier. Daarna, als je eenmaal terug bent in je kooi, word je weer jezelf." In Charkh zagen de mensen op vrijdag na zonsondergang wel eens een kleine zwarte slang, met vuur in een van zijn ogen, langs de oever van de rivier voorbijstuiven.'

Grootvader zweeg en leek weer uit zijn droom te ontwaken, terwijl hij eindelijk zijn blik van de tekening afwendde en hem op Kualid richtte. 'Een kleine zwarte slang, precies zoals jouw Asmar,' zei hij tegen hem en hij woelde door zijn haar. Daarna stond hij op, keerde zijn inmiddels kromme rug naar hem toe en liep zonder nog iets toe te voegen weg door de kleine ingang. Ook zijn moeder stond op en bracht het dienblad met de pot met thee, waar niemand van had gedronken, naar het andere vertrek. Kualid bleef daar zitten, op zijn hurken, alsof hij de smaak van zijn grootvaders woorden die nog door de kamer zweefden, wilde laten bezinken. Hij liet zich zelfs niet afleiden door het geluid van een motor dat van de straat eronder kwam: een voertuig kwam met moeite de helling op. Het geluid klonk eerst steeds verder weg, daarna hield het plotseling op. Een onderbreking van stilte, vlak daarna verbrijzeld door een schelle kreet van een vrouw, hartverscheurend en wanhopig, die van niet zo ver kwam. Kualid zag dat zijn moeder zich naar buiten haastte, terwijl ze de sluier van haar boerka met een snel gebaar over haar gezicht liet vallen, en hij volgde haar direct.

Ze zagen het voertuig een paar honderd meter van hen vandaan aan de kant van de weg stilstaan, ter hoogte van het huis van de familie van Kader. 'Ik weet zeker dat de schreeuw daarvandaan kwam,' zei Kualids moeder en ze begaf zich bijna rennend, gehinderd door de stof van de boerka, naar het punt dat ze had aangewezen. Ook Kualid begon te rennen en haalde zijn moeder al snel in. Hij stopte op een paar meter van Kaders huis: hij zag het vanboven, vanaf de top van een verhoging die vol met stenen lag.

Voor de lage woning van droge modder verscheen een groepje mensen. Er waren drie mannen, eentje was Kaders vader, de andere twee kende hij niet. Waarschijnlijk waren ze aangekomen met de auto die iets lager geparkeerd stond. De broer en zus van Kader stonden doodstil, als twee levenloze figuurtjes bij de ingang. En Kaders moeder was er. Bedekt door haar verschoten blauwe boerka leek ze een licht zakje dat spelenderwijs door de wind gevuld en geleegd werd, want hij ging omhoog en zakte meteen weer in elkaar om dan weer omhoog te gaan. Die eindeloze dans werd onderbroken door Kualids moeder, die er intussen bij was gekomen en de vrouw had omhelsd. Daarbij mengde de stof van haar boerka zich met die van haar, in een enkele wolk van stof. De twee vrouwen waren samen in de deur van het huis verdwenen. Kualid had zich niet verroerd op de plek waar hij zich bevond, alsof hij tegengehouden, geblokkeerd werd door de muur van verdriet die zich rond dat tafereel optrok.

Hij zag dat een van de twee onbekenden probeerde met een arm de schouders van Kaders vader te omsluiten. Hij weerde het gebaar echter abrupt af en begon met gebalde vuisten op zijn slapen te slaan, zonder op te houden, tot de andere onbekende zijn polsen stopte door ze stevig vast te pakken. Kaders vader rukte zich uit de greep los en liep vastberaden naar het voertuig dat aan de kant van de weg stilstond, de andere twee mannen liepen naar hem toe en gingen naast hem lopen. Daarna verdwenen ze in het voertuig, dat onmiddellijk vertrok. Kualid hoorde het geluid van de motor niet, het scheen hem toe dat alles zich in stilte voltrok, in een verlengde en verstilde tijd.

'Wat is er gebeurd?' Kualid bleef die vraag tegen Kaders broertje herhalen, maar die leek hem totaal niet te horen. Hij zat vlak bij de muur van het huis gehurkt, geconcentreerd op het gooien van kleine steentjes tegen een grotere steen die ietsje verderop uit de grond stak. De ogen van de jongen waren op de steen gericht en het was alsof die zijn hele wereld bevatte. 'Zeg me wat er is gebeurd!' Nu schreeuwde Kualid, getergd door de ongerustheid en het stilzwijgen van het jongetje.

Het antwoord, kort en scherp als het geluid van een tak die breekt, kwam van Kaders zusje, dat zich tot dan toe afzijdig had gehouden, al gewend geraakt om zich niet in de gesprekken van de mannen te mengen, ook al waren het nog kinderen. 'Een mijn, onze broer Kader heeft een mijn gepakt, hij is in zijn hand ontploft.' Ook zij sprak met luide stem, schel door haar nog kinderlijke timbre, om die van Kualid, die maar op dringende toon bleef vragen, te overstemmen.

Kualid draaide zich met een ruk om, alsof hij geraakt was door een van de steentjes die Kaders broer onverstoorbaar bleef gooien. 'Wat zei je?' schreeuwde hij bijna woedend tegen het meisje.

'Ik zei een mijn,' antwoordde ze gedecideerd, 'een mijn!'

'Waar, waar heeft hij die gevonden?' drong Kualid aan, die zijn keel door een nieuw gevoel van ongerustheid voelde dichtknijpen.

'Op de weg naar Jalalabad. Hij was daar met de schop heen gegaan...'

Kualid wachtte niet eens tot het meisje haar zin afmaakte. Hij moest de onverdraaglijke gedachte die in hem opkwam onderdrukken voordat die zich openbaarde.

Hij begon als een bezetene te rennen, langs de helling omlaag, naar de weg. Het is mijn schuld, ik had met hem mee moeten gaan. Het was een hardnekkige gedachte, die opkwam ondanks het feit dat hij haar probeerde te onderdrukken met het geluid van de kiezelsteentjes die omgewoeld door zijn rennen tegen elkaar botsten en met de echo van zijn steeds gejaagdere ademhaling die op zijn slapen hamerde. Het was niet genoeg. Misschien begon Kualid daarom, toen hij de weg eenmaal had bereikt, nog harder te rennen, omlaag richting de stad.

'Hé, knul, zit de duivel je achterna?' Zoals gewoonlijk uit het niets opgedoken, posteerde Kharachi zich voor hem met zijn karretje. Kualid antwoordde hem niet en stopte niet. Hij sprong over hem heen, alsof hij een struik was. Hij stond hijgend voor het ijzeren hek, geverfd in een grijstint die al door de roest was aangevreten, van het ziekenhuis Karte Seh. Het hek was dicht. Een man, waarschijnlijk een bewaker, zat gehurkt met zijn rug tegen de omheiningsmuur van het ziekenhuis met gebogen hoofd te dutten, de versleten stof van zijn tulband verborg zijn gezicht.

Kualid hield vlak bij het hek stil, met schokkende schouders van het hijgen, en begon ernaar te staren, alsof hij het met zijn blik kon openen. Ik moet hem zien, dacht hij, ik moet Kader zien. Ik weet zeker dat ze hem hierheen hebben gebracht. Hij werd overvallen door een opgekropte woede. Stommeling, stomme snotneus. Wat dacht je te doen in je eentje op de weg naar Jalalabad? Dat wat je overkomen is, heb je zelf opgezocht. Je verdient het, stomme Spin!

Dit had hij tegen Kader willen roepen zodra hij hem had kunnen zien, en misschien zou hij hem ook wel door elkaar hebben geschud aan zijn knokige schoudertjes. Hij werd wakker geschud uit zijn agressieve fantasie door het herhaaldelijke getoeter van een krakkemikkige geel-witte taxi, die voor het hek was gestopt. Ook de slaperige bewaker was opgestaan en sloeg nu met zijn vuist op de stalen plaat van het hekwerk totdat iemand van binnenuit het eindelijk opende. De geel-witte taxi reed een stukje door en stopte precies halverwege het pad dat leidde naar de ingang van het ziekenhuis.

Nadat de portieren wijd opengezet waren, stapten er twee, drie, vier mannen uit die er een bewegingloze man uit haalden. Ze pakten hem bij zijn enkels en daarna bij zijn oksels. Terwijl ze hem zo droegen, riepen ze iets naar iemand die maar niet kwam.

Ten slotte kwamen er twee ziekenbroeders met een militaire brancard aan.

De nog schreeuwende mannen deden hun uiterste best om de gewonde op de brancard te leggen. Kualid profiteerde van de chaos van het moment om onopgemerkt door het ziekenhuishek heen te glippen en tussen de muren van de paviljoenen te verdwijnen.

Een zware geur van bederf greep hem zo heftig naar de keel dat hij even van slag raakte. Tussen de paviljoens was de grond met troep bezaaid: vodden, stukken verbandgaas, donker geworden van bruine vlekken opgedroogd bloed, verroeste hoofdeindes van bedden en nog een heleboel andere dingen.

Er waren drie lage gebouwen met grijze muren, bevlekt met bloedspatten, van de ziekenafdelingen. Kualid sloot er een, dat op een afstandje van de andere lag, direct uit. De ramen waren afgesloten met plastic zeil en stukken gerafelde, smerige stof; van buiten kon je het duister dat binnen heerste voorspellen. Het was de afdeling voor vrouwen en geen enkele man mocht daar in de buurt komen: hun werd het voorrecht verleend om er in hun eentje te sterven.

Vertrouwend op zijn instinct zette de jongen zijn voet over de drempel van een van de twee overgebleven gebouwen. De stank die hem meteen overviel, was zo mogelijk nog viezer dan die buiten. Zijn ogen, nog niet gewend aan het halfduister van het vertrek, namen op de vloer donkere hoopjes vuil waar die een walgelijk geluid maakten wanneer hij ze vertrapte terwijl hij met onzekere passen verder het vertrek in liep. Hij tuurde naar de twee rijen stretchers die tegen de muur stonden opgesteld in de hoop die van Kader te onderscheiden. Maar op de kale en met bloed en uitwerpselen bevlekte matrassen zag hij alleen donkere en vage figuren in onnatuurlijke houdingen liggen, precies zoals de hoopjes vuil op de grond. Sommigen waren in vergeelde zwachtels gewikkeld, anderen bedekt met repen grijze lakens die inmiddels tot vodden waren verworden. Af en toe gaf het geritsel van een trage beweging of het lage gejammer van een van hen aan dat ze leefden, terwijl de hopeloze stilte van anderen het tegendeel suggereerde.

Kualid besefte welk bed van Kader was toen hij de kromme schouders van zijn vader herkende. Het was de laatste stretcher van de rechterrij. Kaders vader stond naast het armzalige bed, zijn hoofd richting het matras gebogen. De omvang van de man onttrok het kind dat erop lag aan het zicht. Kualid ging er zwijgend naast staan.

'Hallo, Kualid,' zei de man, alsof het heel normaal was dat hij daar was. Maar Kualid vond geen stem om de begroeting te beantwoorden. Zijn blik was al op het lijfje van Kader gevallen: op het matras leek hij nog kleiner en tengerder. De beledigingen die hij zich had voorgesteld om tegen hem te zeggen waren uit zijn hoofd gewist zonder een spoor achter te laten. Zijn tong en gehemelte voelden droog aan. Kader, die op zijn rug lag, bewoog niet. Zijn rechterarm eindigde in een met bloed besmeurde zwachtel, daar waar zijn hand had moeten zitten; zijn blote en knokige borstkas was bezaaid met kleine en grote zwarte vlekken, als brandplekken van sigaretten. Maar wat Kualid het meest trof, was het gaas dat op zijn gezicht was gelegd, dat hem volledig bedekte. Ook op het gaas zaten bloedvlekken, sterker nog, het leek of het gaas uitgerekend daardoor aan het gezicht van het jongetje bleef kleven. Kualid verplaatste zijn blik naar Kaders vader, alsof hij verwachtte dat de man iets zou zeggen. Kader jammerde niet, hij maakte geen enkel geluid. Kualid had gewild dat een woord, een geluid die verstikkende stilte zou doorbreken die Kader, zijn vader en zelfs hem roerloos leek te doen maken. Maar Kaders vader sprak niet: hij bleef naar zijn zoon kijken, maar het leek of zijn blik die zo kleine figuur niet kon bevatten, ook niet scherp kon zien, dus wekten snelle bewegingen van zijn ogen de indruk dat ze hem elders zochten, ver daarvandaan. Dus verbrak Kualid de stilte. Misschien om zich ervan te vergewissen dat er uit zijn droge mond nog woorden konden komen. 'Hij huilt niet,' zei hij met schorre stem tegen Kaders vader, alsof dat hem gerust kon stellen.

'Hij huilt niet omdat hij geen ogen meer heeft,' antwoordde de man, meer tegen zichzelf pratend dan tegen Kualid.

Het kommetje vol blauwe verf gleed uit Kualids handen; de kleur breidde zich uit tot een dichte vlek op de vloer van de winkel, het lange gewaad van de jongen zat vol kleine spatjes. Blauwe druppels. Zoals de tranen die Kader niet meer kan huilen, dacht Kualid tot zijn verbazing terwijl hij ernaar keek. De hele ochtend deed hij al, zonder veel succes, zijn uiterste best om de gedachte aan Kader uit zijn hoofd te bannen. Hij zocht woede in zichzelf, als remedie tegen de angst en het schuldgevoel die zich aan hem hadden vastgeklampt. Hij spande zich in om de irritatie te herbeleven die de aanbiddende blik van het jongetje hem bezorgde, maar het beeld van het gaas dat Kaders gezicht bedekte, verscheen direct voor hem, en onder dat gaas, dacht hij, zaten geen ogen meer. Hij stond daar maar, rechtop, met zijn armen langs zijn zij, te kijken zonder de plas blauwe verf te zien die zich langzaam uitbreidde tot hij de tenen van zijn blote voeten raakte.

'Wat heb je voor een puinhoop gemaakt?' De stem van Babrak verraste hem en instinctief tilde hij een arm op om zijn gezicht tegen een oorvijg te beschermen. Dat beschermende gebaar vertederde de kalligraaf, die nooit de bedoeling had gehad de jongen te slaan. 'Ach, zo Allah het wil, niks ernstigs aan de hand,' zei hij en hij benadrukte de kalmte in zijn stem. 'Het kommetje is niet gebroken en de verfvlek vegen we met doeken weg. Pas liever op dat je voeten niet nat worden, want ik wil je voetsporen niet in mijn hele winkel,' voegde hij er met een glimlach aan toe, terwijl hij Kualids haar door de war haalde.

Maar het lukte Kualid niet om terug te lachen. Hij rende naar een hoek om de oude doeken te pakken, daarna ging hij op handen en voeten zitten om de verfvlek daarmee op te vegen, met gebogen hoofd om de blik van Babrak te vermijden. De kalligraaf had gemerkt dat de jongen door iets gekweld werd en probeerde hem te laten vertellen wat er was.

Toen hij hem als een bezetene de doeken over de vloer zag wrijven, alsof het een kwestie van leven of dood was, probeerde hij nogmaals zijn aandacht te trekken. 'Hé, als je doorgaat met zo hard wrijven, komt er op de plaats van de vlek een gat en daar zul je uiteindelijk in vallen!' zei hij tegen hem.

Maar ook ditmaal kreeg hij geen antwoord. Nog altijd hief hij zijn hoofd niet op, sterker nog, de jongen gaf de toch al onstuimige bewegingen van zijn armen nog meer kracht.

De rest van de dag ging op die manier voorbij, in stilte. Babrak bleef onophoudelijk naar Kualid kijken, zonder op het gezicht van de jongen ook maar een spoortje van een glimlach te zien, noch die trotse gelukkige blik die zijn ogen opklaarde wanneer het hem, bij het mengen van de kleuren, lukte een bijzonder levendige kleur te krijgen.

'Nu moet ik gaan,' zei Kualid haastig en hij begaf zich snel richting de deur.

'Wacht even, Muis,' beval Babrak hem, en de jongen kwam bij de ingang tot stilstand, zonder zich naar hem om te draaien.

'Toe, kom eens hier, ik wil je een ruil voorstellen.' Met een gebaar van zijn hand nodigde hij hem uit terug te keren.

Kualid kwam met langzame passen op hem af, terwijl hij zijn hoofd ostentatief omlaag bleef houden. 'Een ruil is een transactie,' hervatte de kalligraaf, 'en ik durf geen zaken te doen met iemand die me niet in de ogen kijkt.'

Uiteindelijk besloot de jongen zijn ogen op te heffen en Babrak zag er niet de afwerende blik in die hij had verwacht, maar een glimp van nieuwsgierigheid.

Aangemoedigd ging hij verder: 'Oké, zo gaat het beter. Ik weet dus dat je een geheim hebt...'

'Ik heb helemaal geen geheim!' onderbrak Kualid hem abrupt.

'Jammer,' ging de kalligraaf verder, 'ik heb je de hele dag geobserveerd en ik kreeg het idee dat je druk bezig was om het in je te verbergen. Zo druk dat, wat het geheim dan ook is, ik dacht: dat moet een waardevol geheim zijn. En aangezien ik ook een waardevol geheim heb, had ik bedacht dat we ze zouden kunnen ruilen. Jij geeft me dat van jou en ik geef je dat van mij. Zo zouden we allebei in plaats van één maar liefst twee waardevolle geheimen hebben, wat voor geheimen het dan ook zijn. Maar ik heb me blijkbaar vergist. Je hebt me gezegd dat je geen geheim hebt. We kunnen dus helemaal niks ruilen en de transactie gaat dus niet door. Dat betekent dat ik dat van mij voor mezelf houd,' sloot hij af.

Kualid keek hem perplex aan, hij wist niet of de kalligraaf een grapje maakte of het serieus meende. Maar sinds hij hem had leren kennen, had hij altijd gedacht dat Babrak iets magisch had, en de mogelijkheid om nu een van zijn geheimen te ontdekken maakte hem heel nieuwsgierig. 'Ik weet niet of dat van mij een geheim is,' barstte hij los, 'maar het is iets ergs.'

'Ik heb je al gezegd dat het niet uitmaakt, wat het dan ook is,' antwoordde de kalligraaf. 'Dus vertel het maar, als je wilt. Ik kan hier toch niet de hele avond blijven staan.'

Kualid begon toen, als iemand die na duizend aarzelingen een sprong maakt om in de versmalling van een rivier te duiken, in één adem te praten. 'Het verhaal gaat niet over mij, het gaat over een vriend van me, eigenlijk is het niet eens een vriend, maar gewoon een vervelend jongetje dat ik ken. Gisteren heeft hij een mijn opgepakt, een van die kleine groene, die de vorm van een vlinder hebben. Die stommeling heeft hem in zijn hand genomen en de vlinder heeft zijn ogen gestolen. Dat is alles! Ik zei je dat het geen geheim was. Ben je nu tevreden?!'

Babrak keek hem intens aan en na een korte pauze die Kualid, die niet had bewogen, ellenlang leek, zei hij zachtjes, bijna fluisterend, twee woorden: 'Ga verder.'

Kualid hield het niet meer. 'Hij heeft geen ogen meer,' barstte hij los, 'hij kan niet eens huilen. En het is mijn schuld, omdat ik hem in zijn eentje naar de weg naar Jalalabad heb laten gaan. Het is mijn schuld,' herhaalde hij. En eindelijk welden die tranen die Kader niet meer kon huilen uit zijn ogen op, strepen op zijn wangen trekkend.

Babrak stak een hand uit, niet om zijn haar door de

war te halen zoals hij gewoonlijk deed, maar voor een zachte aai over zijn hoofd. 'Dat is dus je geheim,' zei hij daarna. Maar nu je het mij hebt gegeven, is het niet meer alleen van jou. Jij draagt het een beetje bij je en ik draag het een beetje bij me, en zo wordt het voor ons allebei wat lichter.'

Kualid haalde zijn neus op en droogde zijn ogen met de mouw van zijn gewaad.

'Oké,' ging de kalligraaf verder, 'nu is het mijn beurt om onze afspraak na te komen. Volg me.'

Babrak liep naar een hoek van de winkel. Tegen de muur stond een donkergroene houten kist, met getallen en opschriften in het cyrillisch. Het was een oude munitiekist van de Sovjets. Nu zaten er alleen blikken verf in de kist. De kalligraaf pakte hem bij een van de handvatten en verplaatste de kist, waardoor er een klein luik in de vloer van aangestampte aarde werd onthuld. De schuilplaats was afgedekt met een dunne staalplaat. Steeds nieuwsgieriger sloeg Kualid Babrak gade, die de kist met langzame, bijna rituele bewegingen optilde, en nadat hij hem tegen de muur had gezet, bukte hij zich om een doos uit het gat te halen. Het was in een doek gewikkeld die een beetje vies was van de aarde. De kalligraaf rolde de doek uit, maar voordat hij het deksel van de doos optilde, leek hij een moment te twijfelen, en hij stopte. 'Nu laat ik je mijn geheim zien,' zei hij op een toon waarin een zweem van ongerustheid doorklonk, 'ik denk dat je het wel leuk zult vinden. Maar het is, net als alle geheimen, ook gevaarlijk. Kualid, je moet me zweren dat je het nooit aan iemand zult onthullen, om geen enkele reden.'

'Ik zweer het op de profeet,' haastte Kualid, die het inmiddels niet meer had van nieuwsgierigheid, zich te antwoorden.

Babrak ging toen op zijn hurken zitten, zette de doos op schoot en opende hem ten slotte. 'Kom, kijk,' zei hij tegen de jongen, die snel naast hem neerhurkte. Bij de eerste oogopslag was Kualid een beetje teleurgesteld: de doos zat vol vellen papier in verschillende kleuren. Maar toen de kalligraaf ze er een voor een uit begon te halen en aan hem gaf, was hij letterlijk sprakeloos. Op elk vel stond een tekening. Niet de sierlijke letters van het schrift, maar echte afbeeldingen. Een opgewonden paard dat echt leek te trappelen, lichtere penseelstreken hadden zijn vacht de schittering van de weerkaatsingen van het licht gegeven. Een valk, met gespreide vleugels, die duidelijk afstak tegen het felle blauw van de heldere hemel. En... een danseres, wier gekleurde en doorschijnende sluiers echt op het kronkelige ritme van haar ledematen leken te bewegen. Kualids handen begonnen te trillen, zodat de danseres nog schaamtelozer op het witte oppervlak van het papier leek te dansen. 'Maar... het is een vrouw,' stamelde de jongen, bevangen door een angst die de verbaasde fascinatie die die afbeeldingen hem hadden bezorgd een ogenblik had overschaduwd.

'Een dansende vrouw,' verbeterde Babrak hem een beetje fronsend.

'Het is een zonde,' hervatte Kualid met een stem die hees was van de angst die hem had bevangen, 'een ernstige zonde. De profeet heeft gezegd dat elke voorstelling van afbeeldingen van de schepping een belediging voor de perfectie van de almachtige en barmhartige Allah is.'

En terwijl hij die woorden zei, dacht hij aan Asmar, de slang van de nacht die hij met de tekening van het houtskooltje voor altijd op de muur van zijn huis had vastgelegd en zijn angst werd zo mogelijk nog groter. Hij keek naar Babrak en zag meteen de bezorgde uitdrukking op zijn gezicht . Hij had dan ook spijt van wat hij zojuist had gezegd. Hij werd heen en weer geslingerd tussen de angst voor de zonde en de vrees dat hij de kalligraaf beledigd had, dat hij niet had laten zien dat hij zijn vertrouwen waard was. Hij wist niet meer waar hij zijn ogen op moest laten rusten, op het getekende papier dat hij nog in zijn handen had of op Babrak, die naast hem gehurkt zat.

'Vind je ze niet mooi?' De kalme stem van de kalligraaf bereikte hem terwijl hij hem weer aankeek.

Kualid had in zijn leven nog nooit een tekening gezien en die eenvoudige vraag liet het enthousiasme dat al die fantastische figuren hem deden voelen in een ogenblik herleven. 'Ze zijn prachtig!' antwoordde hij enthousiast.

'En denk je echt dat schoonheid Allah kan beledigen?' De kalligraaf antwoordde uit zichzelf: 'Ze kunnen hoogstens wat Arabieren die zo onwetend als geiten zijn irriteren,' sloot hij geërgerd af.

'Ik wil de andere ook zien.' Nu zijn vrees was afgenomen had Kualid zich in een onstuitbare nieuwsgierigheid laten gaan. 'Alsjeblieft, Babrak, laat me ze allemaal zien.'

De tekeningen gingen weer van de handen van de kalligraaf over in die van de jongen en alleen het ritselen van de velletjes vormde een geruststellend achtergrondgeluid voor die caleidoscoop van afbeeldingen en kleuren. Eentje trof Kualid, alleen al bedwelmd door de vormen en lijnen, in het bijzonder: het was een collage op een blauw kartonnetje. In een hoek was, als met tegenlicht, het zwarte silhouet van een rennend kind getekend; de dichtgeknepen hand hield het onzichtbare touw vast van een vlieger die op de voorgrond, bijna in het midden van het karton, goudkleurig afstak. De vlieger was niet getekend, maar van een heleboel kleine vastgeplakte strootjes gemaakt, zodat het echt leek of de eerste windvlaag hem van het blauwe kartonnetje had kunnen doen wegvliegen. Kualid draaide het voorzichtig in zijn handen rond en aarzelde om het aan de kalligraaf terug te geven.

'Houd je van vliegers?' vroeg Babrak hem. 'Toen ik ongeveer jouw leeftijd had, was ik heel goed in vliegers maken, met de andere jongens deden we ook vliegerwedstrijden. Maar ik vond het vooral leuk om ze te zien vliegen.'

Kualid herinnerde zich dat ook Said er eentje had gemaakt, in het geheim, van een stuk wit plastic dat op twee dunne gekruiste takjes was bevestigd. Net toen hij de vlieger aan hem liet zien, in de beschutting van het wrak van een oude tank, was zijn vader eraan gekomen en had hen verrast. Hij was heel boos geworden. 'Ben je niet goed snik?' had hij tegen Said gezegd. 'Weet je niet dat vliegers verboden zijn, wil je ons in de problemen brengen?' Met een bruusk gebaar had hij de vlieger uit de handen van de jongen gerukt, de takjes gebroken en het stuk plastic aan flarden gescheurd. Daarna had hij alles in het gat gegooid dat zich op de plaats van de geschutkoepel van de oude tank opende. En dat was de enige vlucht die de vlieger van Said ooit had gemaakt, dacht Kualid. En dus antwoordde hij laconiek op vraag van Babrak: 'Ik weet niet of ik ervan houd, ik heb ze nooit zien vliegen.' Na die woorden gaf hij de kalligraaf het blauwe kartonnetje met de vlieger van strootjes terug.

Toen hij eenmaal alle tekeningen in de doos had gedaan en nadat hij die weer in de doek had gerold en de doos in de geheime bergplaats had gelegd, ging de kalligraaf verder met Kualid ondervragen: 'Ben je blij met het geheim dat ik je in ruil voor dat van jou heb gegeven?'

De jongen antwoordde met de glimlach die Babrak hem de hele dag had geprobeerd te ontlokken.

'Goed,' ging de man verder, 'je moet dan ook weten dat dit geheim nog een geheim bevat, dat nog meer verborgen gehouden moet worden. Al die tekeningen zijn door mij gemaakt.'

Kualid sperde zijn ogen open. Bedwelmd door de beelden die door zijn handen waren gegaan, had hij nog geen gelegenheid gehad om zich af te vragen waar ze vandaan kwamen. 'Ik wist dat je magisch was,' fluisterde hij zo zacht dat de kalligraaf alleen een vaag gemurmel hoorde.

'Wat zei je, jongen?' Maar Kualid was de winkel al uit geschoten om al rennend de opwinding van die dag te ontladen.

Door het hotsen van de vrachtwagen die met moeite op de weg vol stenen vooruitkwam, slingerde hij voortdurend heen en weer. Tussen de anderen geperst zat

Said op een houten plank achter in de laadbak. Met één hand hield hij zich aan een stang van het frame vast, met de andere hield hij de loop van zijn kalasjnikov vast die hij tussen zijn benen had en die door al dat gehots voortdurend tegen zijn knieën stootte. Af en toe, wanneer de chauffeur met veel lawaai terugschakelde, steeg een zwarte, dichte rookwolk uit de uitlaat op die het zicht op de door de zonsondergang rood gekleurde hemel in nevelen hulde. De man die naast hem zat, sliep ondanks het geslinger en het lawaai, zijn baard in zijn borst begraven. Hij snurkte zelfs, en zijn geronk ging op in het doffe geluid van de motor. Een jongen die tussen de andere soldaten zat, op de voorbank, had een stuk van zijn tulband over zijn gezicht laten vallen en hield het met zijn tanden vast, om zich tegen de rook en het stof te beschermen. Said kon alleen zijn open ogen zien, maar die keken hem niet aan. Er waren maar een paar dagen voorbijgegaan sinds hij en die jongen samen voor de andere leerlingen van de Koranschool hadden gestaan, terwijl een moellah hun aanwees als voorbeeld van moed en geloof omdat ze gezegd hadden dat ze klaar waren voor de heilige oorlog. Hij had niet het idee dat de moellah die enigszins dikke moellah was die hij de eerste keer had gezien, maar het kon best dat hij het was, want het tafereel had zich zo vaak herhaald, steeds hetzelfde maar wel met andere jongens, dat Said in de war raakte nu hij er weer aan dacht. Van één ding was hij zeker: de commandant met de zwarte baard en de kalasjnikov met de versierde kolf was wel altijd dezelfde. Hij sprak bijna nooit. Hij had zelfs niet gesproken toen de Koranleraar hem aan het einde van de ceremonie met de andere leerlingen aan Said en de andere jongen op de binnenplaats van de madrassa had voorgesteld. Hij had geen woord uit-gebracht. Hij had hen alleen vanuit het diepst van zijn donkere baard geobserveerd. Hij had hen aandachtig bestudeerd, alsof hij hen op waarde probeerde te schatten. Said herinnerde zich dat hij de indruk kreeg dat de man hem heel lang had aangekeken en dat hij zijn uiter-ste best had moeten doen om niet rood te worden van verlegenheid. Daarna had de man een goedkeurend gebaar naar de leraar gemaakt, alsof hij een deal had gesloten, hij had zijn rug naar de twee jongens gedraaid en was ervandoor gegaan. Ze hadden hem pas die och-tend weer gezien, vlak voor zonsopgang, toen ze in de vrachtwagen waren gestapt, bomvol met strijders, die hen was komen ophalen. De commandant had hen gadegeslagen terwijl ze onhandig in de laadbak klom-men, daarna was hij weer in de pick-up met de verduis-terde ramen gestapt die nu de colonne leidde op weg naar de eerste frontlinie. Said had het idee dat alles heel snel was gebeurd. Het leek of vanaf het moment dat hij voor het eerst de ingang van de madrassa was gepasseerd tot nu, nu hij een geweer had dat tussen zijn knieën sloeg, de dagen en maanden zich hadden afgewikkeld zoals een rol lint zich afwikkelt als je het laat vallen ter-wijl je een uiteinde tussen je vingers houdt. Ook al dacht hij zelden en slechts terloops aan de tijd waarin hij gaten met Kualid had gevuld, toch scheen die tijd heel ver weg, zo ver dat het bijna leek of dat leven niet meer het zijne was. De herinnering aan zichzelf met Kualid was verbleekt, zonder contouren, en hij kon het gezicht van zijn neef, zijn gelaatstrekken, zijn ogen, zijn uitdrukkin-gen niet meer duidelijk voor zich zien. Alleen zijn twee tanden die naar voren staken, die herinnerde hij zich nog goed. Zoals die van een muis, dacht hij eventjes verbaasd. Waar zou Muis nu zijn? Hij begon bijna te glimlachen toen hij werd overmeesterd door een soort gedachteloze loomheid, die elke gedachte wiste. Ook de lichte angst die hij toch voelde, zakte langzaam in die loomheid weg, als een platte steen in de blubber van het moeras. Said sloot zijn ogen zonder in slaap te vallen. Hij deed ze af en toe open, en zag de wanden van grijze rots van de kloof waar ze doorheen reden voorbijtrekken achter de gezichten van de mannen die in een rij op de planken voor die van hem samengepakt zaten, grijzer dan de rotsen. De vrachtwagen reed door een kuil en het gehots werd nog heviger toen de wielen begonnen te glijden op de gladde stenen van de lage maar onstuimige beek, die er in het midden doorheen stroomde. Daarna, na een laatste schok, hield de vrachtwagen eindelijk met een doffe schok stil. Ook het geluid van de motor stopte, en het enige wat bleef, was het gesuis van de wind, die lichtjes in het uitgeholde bekken achter een onbegroeid voorgebergte wervelde. De wind droeg de kou die snel zou komen al in zich; de winter zou niet lang meer op zich laten wachten. Snijdend in Saids wangen schudde hij hem een beetje wakker uit zijn slaperigheid.

De mannen groepten samen op het achterste deel van de laadbak om van de vrachtwagen te springen, maar niemand sprak of schreeuwde; het enige wat van tijd tot tijd hoorbaar was, was het metalen gekletter van de wapens die tegen de achterklep van de laadbak stootten. Een paar schildwachten zaten gehurkt op een grote verroeste container, de silhouetten van anderen waren op de heuvelrug te zien. Ze schonken niet veel aandacht aan de net aangekomen mannen, die zich nu in verschillende gedesoriënteerde groepjes verzamelden.

De commandant stapte uit de pick-up en liep naar een klein groepje soldaten, dat uit een soort schuilplaats kwam die in het binnenste van het voorgebergte was uitgesleten. In de groep viel een lange man op, ook zijn gezicht was omlijst door een lange zwarte baard, waarin een glimlach met hagelwitte tanden tevoorschijn kwam. De man droeg een stuk van zijn donkere tulband, die om zijn hoofd gewikkeld zat, als een sjaal om zijn nek; hij had felgroene ogen en het lijntje kajal dat ze omlijstte, benadrukte hun bijna dierlijke verschijning, ondanks de bewegingen van de strijder, die juist gekenmerkt werden door een bijna vrouwelijke gratie. Over zijn lange gewaad droeg hij een jas met camouflagevlekken en hij was de enige van de groep die ogenschijnlijk onbewapend was. Het ging blijkbaar om de commandant van die stelling, die direct achter de vuurlinie was opgesteld. De strijders die hem volgden, liepen op een afstand van een paar stappen, waardoor ze een beschermende halve cirkel om hem heen vormden. De twee commandanten begroetten elkaar door hun hand naar hun borst te brengen, daarna verdwenen ze samen met de bewapende groep in de schuilplaats.

Zo nu en dan kwam de echo van verre explosies door de lucht aanrollen. Said keek dan om zich heen, alsof hij de gloed ervan kon zien, maar al snel lette hij er niet meer op en wende hij aan dat doffe gerommel. Hij voelde dat de banden van zijn rugzak in zijn schouders sneden, dat hij buiten adem raakte van de lucht die ijl was door de hoogte. Zijn stijf geworden nekspieren verhinderden hem zijn hoofd te draaien, dus hield hij zijn ogen strak gericht op de schouders van de strijder die hem voorging, gekromd onder het gewicht van zijn eigen vracht.

Said marcheerde al vanaf het eerste licht van de dageraad via een nauwelijks zichtbaar pad de berg op. Hij had zich willen omdraaien om een blik te werpen op het kind dat hem en de andere strijder die hem vergezelde volgde, maar zijn nek deed echt te veel pijn. Hij probeerde het geluid van zijn stappen te horen, maar dat was heel zacht: enkel het tikken van wat steentjes die tijdens het lopen werden verplaatst. Het kind ging op blote voeten voort. Het was beladen met een enorme zak die proviand en een paar mitrailleurbanden bevatte. De zak was zo groot dat Said zich had afgevraagd hoe het kon dat het jongetje niet verpletterd werd. Aan het begin van hun mars had hij geprobeerd iets langzamer te lopen, bezorgd dat het jongetje het niet zou redden, maar daarna moest hij zich aanpassen aan het tempo van de strijder die de kleine rij leidde. Nu was hij, uitgeput, ook opgehouden naar de passen van het kind te luisteren en concentreerde hij zich enkel op de inspanning om zijn eigen benen te bewegen, het ene been na het andere, zonder aan iets anders te denken. Het onverwachte geratel van het vuur van een kalasjnikov dwong hem zijn hoofd op te tillen. In de verte zag hij een mitrailleursnest, goed gecamoufleerd op de top van een hooggelegen punt. Het was niet veel meer dan een kuil, bedekt met een groot, donkergroen zeil en omgeven door een muurtje van stenen en zandzakken. Er staken twee silhouetten uit die met hun armen zwaaiden. Uit het geweer dat een silhouet aanlegde, kwam nog een salvo ter begroeting. Said begreep dat ze eindelijk hun doel hadden bereikt, maar had de kracht niet om zijn tempo te versnellen, zoals de strijder die voor hem liep wel deed.

Toen hij aankwam en met moeite over het muurtje van zandzakken klom, zat zijn kameraad al op een munitiekist, terwijl een van de strijders van de stelling theewater in een tinnen blik op een klein vuurtje van dorre takken verwarmde. De rook van het piepkleine kampvuur verhulde enigszins de geur van urine en muffigheid die de loopgraaf vulde. Said leunde met zijn rugzak tegen de wand van het gat en zakte door zijn knieën. Hij liet de rugzak daarna van zijn rug glijden en haalde zijn armen door de banden, maar bleef er met zijn rug tegenaan leunen, alsof hij zich er niet meer van los kon maken.

'*Salam aleikum*, broeder.'

De schrille stem van de strijder die plotseling naast hem was verschenen, dwong hem zich met een ruk om te draaien, waardoor hij een pijnscheut in zijn nek kreeg. Even perste hij zijn lippen op elkaar. Voordat hij tijd had om de begroeting te beantwoorden barstte de strijder in een nog schellere lach uit. Said keek hem perplex aan. Hij zat op zijn hurken vlak bij hem, met zijn hoofd in een vieze tulband die praktisch dezelfde grijzige kleur had als zijn gezicht. Een streep rode verf liep van zijn kin tot aan zijn haargrens over zijn gezicht en gaf hem, samen met de halve lach die zijn mond nog verdraaide, de uitdrukking van een waanzinnige. Said wilde net het woord tot hem richten toen de man zich met zijn arm optrok aan zijn kalasjnikov en opsprong alsof er een veer in hem zat, en hij ging ervandoor, snel verdwijnend achter een rotsspleet van de loopgraaf, maar niet zonder nog een keer in zijn schelle lach uit te barsten.

Toen Said de kracht vond om op te staan en zijn hoofd voorbij het muurtje van de kuil te steken, zag hij dat het jongetje met de grote zak er ook eindelijk aan kwam; een van de strijders hielp hem om de zak dat laatste stukje te vervoeren.

Het jongetje had maar net genoeg tijd gehad om de thee die hem was aangeboden uit een metalen kommetje te drinken of hij moest alweer aan de terugtocht beginnen, samen met de twee strijders die Said en zijn kameraad waren komen aflossen op die vooruitgeschoven stelling. Ze was opgesteld voorbij de eerste linies van de taliban, in het niemandsland dat de twee vijandige gelederen scheidde.

De jongen leunde met zijn schouder op de affuit van de zware mitrailleur, die op een verhoogd geschutemplacement in de loopgraaf stond, en hij zag de drie weggaan. Hij kreeg een brok van heimwee in zijn keel en slikte om die weg te jagen.

'Volg ons.' Het bevel kwam van een man met een gespierd lichaam. Zijn grijzende baard verried zijn reeds gevorderde leeftijd. Naast hem stond de strijder met de rode streep. Hij lachte ditmaal niet, integendeel, het leek of hij zich inspande om zijn gezicht een vastberaden uitdrukking te geven die echter vanwege zijn opengesperde en voortdurend bewegende ogen meer op een groteske grimas leek. De man wachtte niet op antwoord, hij draaide zich om en begaf zich naar een tak van de loopgraaf die afgezonderd was van het geschutemplacement. Said en Rode Streep gingen achter hem aan. De man liep met enigszins gebogen schouders om niet te veel buiten de loopgraaf uit te steken. Said en Rode Streep imiteerden zijn manier van lopen. De greppel eindigde niet veel verder in een klein bekken, dat lager lag en beter was beschermd door de zandzakken, van waaruit je tot in de verte de daaronder gelegen kloof en de hooggelegen plekken eromheen kon zien.

'Blijf hier tot ik de anderen stuur om jullie af te lossen,' zei de oude man tegen Said en Rode Streep. 'Als jullie bewegingen van mensen of voertuigen zien, komt een van jullie me snel waarschuwen.'

Nadat hij zijn zin had beëindigd, richtte hij zijn blik op Said en negeerde hij de ander. Hij keek hem zwijgend aan, zonder dat zijn gezichtsuitdrukking veranderde. Hij bestudeerde hem van top tot teen. Said voelde het gewicht van die blik, ook al begreep hij er de reden niet van, en hield zijn hoofd omlaag. Hij hief het pas weer op toen de man, nog altijd zwijgend, was vertrokken. Hij draaide zich naar Rode Streep toe en zag dat die zijn kalasjnikov op de zandzakken had neergezet, met de loop naar de buitenkant van de kuil gericht; hij hield zijn vinger klaar op de trekker, terwijl hij het landschap voor hem met een overdreven aandachtige gelaatsuitdrukking bestudeerde, alsof de kloof en de bergen echt al volstroomden met vijanden die klaar waren om op te rukken. Niet goed wetend wat te doen imiteerde Said zijn houding. Eventjes begon ook hij het landschap goed te observeren, maar al snel boezemde die omgeving die al eeuwenlang onveranderd was hem alleen maar een gevoel van verveling in. Hij draaide zich om om stiekem naar Rode Streep te gluren. Die had zich geen millimeter bewogen, zijn wang leunde nog altijd op de kolf van het gerichte wapen, maar zijn ogen waren gesloten. Said stelde verrast vast dat hij gelukzalig sliep.

Een gekletter in de verte kondigde zich in de lucht aan, maar na enkele ogenblikken weerklonk een hevig gebulder precies boven Saids hoofd. Het leek of de hemel zichzelf met een lange, hese, angstaanjagende adem opslokte. De jongen rolde zich onder in de kuil op, liet het geweer los en bedekte zijn hoofd met zijn handen. De echo van het eerste gebulder was nog niet voorbij of het volgende kondigde zich aan. Said voelde het gebulder tot diep in zijn botten doordringen en werd door onontkoombare rillingen bevangen.

Het hysterische gelach van Rode Streep doorbrak onverwachts de verdovende stilte die zich in de pauze tussen het ene en het andere gebulder ophoopte. 'Boem!' riep hij tegen Said, terwijl hij met zijn mond het geluid van het gebulder nadeed en de beweging nabootste van iets wat snel door de lucht gaat. 'Raketten, katjoesjaraketten,' ging hij verder en hij begon Said aan een schouder te schudden. 'Ze gaan hoog voorbij, ze vallen niet hier.' En hij begon weer te lachen terwijl hij naar de nog opgerolde jongen keek. Net zoals het was begonnen hield zijn gelach ook weer op, alsof iemand het had uitgezet door op een schakelaar te drukken. Hij wendde zijn blik van Said af en staarde ergens anders heen, zonder hem nog maar de minste aandacht te schenken. Het voorbijgaan van de raketten hield ook op en de deken van stilte daalde weer neer, terwijl het licht zwakker werd door de komst van de schemering.

Door de stilte en de schemer viel Said weer in de verveling terug. Hoewel het einde in zicht kwam, leek die dag hem eindeloos. Hij raakte even in paniek toen hij hoorde dat de oude man, die de commandant van de voorpost was, hem riep. 'Jongen,' zei hij, 'nu ga je met mij mee.' Daarna ging hij tegen de andere strijder verder: 'Jij blijft hier, want zo meteen is de wisseling van de wacht.'

De stem van de commandant duldde geen tegenspraak, maar het verzoek aan Said klonk niet kortaf als een bevel: het leek eerder een vraag, alsof hij echt de mogelijkheid had gehad om te weigeren. Misschien twijfelde de jongen daarom een ogenblik. Toen strekte de commandant een hand uit naar Saids schouder en trok hem met een lichte ruk naar zich toe. 'We gaan,' herhaalde hij terwijl hij naast hem kwam lopen.

Ze gingen langs de loopgraaf. Said voelde de hand van de commandant op zijn schouder. Hij hield hem niet vast, het was alsof hij daar toevallig lag. Maar de jongen begon ongerust te worden omdat dat gebaar, ogenschijnlijk vriendschappelijk, iets weinigs geruststellends had wat Said niet goed kon interpreteren.

Ze kwamen aan bij de ingang van een in de aarde uitgehouwen schuilplaats: een zware deken verborg het zicht op de binnenkant. Het was blijkbaar het onderkomen van de commandant. Die schoof met een hand de deken opzij en duwde Said langzaam met de andere hand naar binnen. Zodra hij binnen was, voelde de jongen de hand van de commandant van zijn schouder omlaag over zijn rug glijden en zijn vingers langzaam bewegen, als in een lompe streling. Het laatste stuk van de deken bij de ingang viel weer op zijn plek, waardoor elk restje licht werd gewist. In het donker dacht Said nog de schrille lach van Rode Streep van buiten te horen komen.

K ualid wisselde zijn dagen af. Sommige bracht hij met zijn grootvader bij het kraampje op de markt door, andere, het merendeel, in de winkel van Babrak. Zijn grootvader vond het niet erg, ook omdat de kalligraaf de jongen zo nu en dan wat fooi gaf, die de karige gezinsbalans spekte.

Nog voor zonsopgang werd Kualid bijzonder opgewonden wakker. Hij had gedroomd, dat wist hij zeker: zijn volledig donkere slaap was eindelijk verlevendigd door beelden. Op zijn mat gezeten kneep hij zijn ogen in het donker dicht om ze niet te laten ontsnappen, ze in zijn geheugen op te slaan en ze weer te kunnen proeven wanneer de ochtend was gekomen.

Kijk, het was alsof hij hem snel door de lucht voorbij zag schieten, alsof hij vloog, of beter nog, in het niets zwom. Daarna was hij gestopt en had hij zich opgerold, en bij het opheffen van zijn platte kop had hij hem met zijn rode oog aangestaard.

Ik heb over Asmar, de slang van de nacht, gedroomd, dacht Kualid. Ik heb hem echt zien bewegen en naar mij zien kijken. Hij had een rood oog… net als de draak van Charkh die elke vrijdag in een slang verandert wanneer hij zijn dorst in de rivier gaat lessen.

Kualid stond op, oplettend dat hij geen lawaai maakte om zijn grootvader niet wakker te maken. De man sliep nog, gewikkeld in zijn deken. Kualid liep naar de muur waarop hij met houtskool de contouren van Asmar had vastgelegd, hurkte ervoor en begon hem te bekijken. Hij lijkt echt op de slang uit mijn droom, dacht hij bij zichzelf, maar hij kijkt me niet aan. Misschien kan hij me niet aankijken... Eventjes sloop het beeld van het met een stuk gaas bedekte gezicht van Kader, Kader zonder ogen, zijn hoofd binnen. Hij verdreef die gedachte, die hem elke keer weer angstig maakte. Bovendien leefde Kader niet meer, hij was een paar dagen na zijn opname in het ziekenhuis overleden. Zijn vader was zijn in een laken gewikkelde lichaampje gaan halen en Kualids grootvader had hem daarna geholpen om het kleine gat te graven waarin ze hem hadden begraven. Een steen tussen veel andere in de grond, dat was er van Kader overgebleven. Wanneer Kualid zittend op zijn grootvaders kar richting de bazaar vlak langs de begraafplaats reed, wierp hij er af en toe een blik op, maar hij kon de steen van Kader niet meer herkennen tussen de tientallen andere waarmee dat stuk grond was bezaaid.

Kualid begon de tekening van de slang op de muur weer te bestuderen. Hij kan me niet aankijken, want hij mist een oog, dacht hij.

Grootvader droeg altijd een mes bij zich. Het was geen groot mes, zoals de messen die Kualid aan de riem van enkele commandanten van de taliban had gezien, die heften van ingelegd been hadden. Dit was niet veel meer dan een zakmes, maar zijn grootvader had het altijd bij zich, en wanneer hij ging liggen om te slapen, legde hij het op de mat, vlak bij zijn hoofd. Het lag precies waar het moest liggen, naast het hoofd van zijn slapende grootvader. Kualid begaf zich op handen en voeten richting het silhouet van de oude man en pakte, toen hij zo dicht bij hem was dat hij zijn zwakke, hijgende ademhaling hoorde, snel het mes en keerde, nog altijd op handen en voeten, terug naar de muur van de slang.

Hij wachtte eventjes tot zijn hart, dat uit angst dat zijn grootvader wakker zou worden sneller was gaan kloppen, tot rust kwam en daarna, nadat hij het mes had beetgepakt, legde hij de punt ervan op de top van de duim van zijn linkerhand. Hij zette zijn tanden op elkaar en oefende druk uit; een beetje was genoeg om een druppel bloed uit zijn duim te doen opwellen, die meteen groter werd tot hij in donkere druppeltjes uiteenviel. Toen drukte Kualid zijn duim tegen de muur op de plek waar de tekening suggereerde dat de kop van de slang zat. Hij drukte zijn duim tegen de muur en draaide hem krachtig rond, en toen hij hem losliet, stond zijn vingerafdruk van bloed heel duidelijk op de muur.

Zo, nu heb jij je rode oog, zei hij in gedachten tegen de afbeelding. Je bent Asmar, de draak van Charkh, en van nu af aan kun je mij bekijken net zoals ik jou bekijk. Stil bracht hij het mes terug naar zijn grootvader en daarna ging hij weer naar bed.

's Ochtends, zodra hij weer wakker was geworden, keek hij meteen naar de muur omdat hij, nog slaperig, niet zeker wist of hij gedroomd had of dat het werkelijkheid was geweest. En hij zag het oog van de draak van Charkh goed. Rood. Het eerste daglicht stak het vuur erin aan.

Het gerucht was heel Kabul rondgegaan, van de bazaar tot de huisjes die afgelegen op de flanken van de bergen rond de stad lagen: er zou binnenkort een nieuw ziekenhuis geopend worden. De eersten die het gerucht verspreidden, waren de mannen die hadden gewerkt aan de bouw ervan. Het ziekenhuis was inmiddels bijna klaar. Ze zeiden dat het groot was. Het verrees op de plek waar ooit een door de Sovjets gebouwde school stond, vlak bij het centrum van de hoofdstad. Velen waren al nieuwsgierig rond de muren gaan kijken.

'Het schijnt een werk van een Italiaanse organisatie te zijn,' zei Babrak tegen Kualid, die aandachtig naar hem luisterde.

'Wat betekent "Italiaanse"?' vroeg de jongen.

'Uit Italië,' antwoordde de kalligraaf. 'Het is een heel ver land, en het is vrijwel helemaal door de zee omringd.'

Kualid had de zee nog nooit gezien en kon hem zich bijna niet voorstellen. Maar hij schaamde zich ervoor om aan Babrak te vragen hoe de zee eruitzag, dus knikte hij. 'Ik snap het,' zei hij serieus.

De kalligraaf ging verder: 'Deze organisatie heeft al een ziekenhuis, in het noorden, in Hanaba in Pansjir. Vrienden van me hebben het gezien en hebben me verteld dat je niets hoeft te betalen als je daar wordt opgenomen, zelfs niet het eten dat ze je geven. Laten we hopen dat het hier ook zo is.'

Kualid verbaasde zich een beetje: 'Heb je vrienden die in het noorden zijn geweest? Maar daar zitten de moedjahedien van Massoud...'

'Mijn vrienden zijn rondtrekkende herders, voor hen bestaat de frontlinie niet, er bestaan alleen kuddes. Weet je,' ging Babrak verder, 'de arts die het ziekenhuis leidt, schijnt een overeenkomst met de regering te hebben gesloten om vrouwen van hier als verpleegsters en bediendes te kunnen aannemen; ze schijnen vooral die vrouwen te kiezen die het meer nodig hebben om te werken, zoals weduwen. Waarom laat je het je moeder niet weten?'

Kualid antwoordde met een gebrom. Hij wist dat zijn vader dood was, natuurlijk, maar hij had zijn moeder nooit als weduwe beschouwd, dat woord stond hem niet zo aan. Zijn moeder was zijn moeder en meer niet. Bovendien had hij er genoeg gezien, weduwen, met vuile boerka's die om een aalmoes vroegen door hun hand uit te steken, en vele malen had hij ook talibanstrijders hen zien wegjagen met klappen met de zweep wanneer ze te schaamteloos waren. Zijn moeder vroeg geen aalmoezen en liep ook niet het gevaar om door de taliban geslagen te worden. 'Mijn moeder is geen weduwe,' sloot hij met zachte stem af, zodat de kalligraaf alleen een onverstaanbaar gefluister hoorde.

Babrak ging er niet op in en vervolgde: 'Vanochtend is Farhid, die de Italiaanse arts kent, me komen opzoeken. Hij zei me dat ze een schilder nodig hebben, ik weet niet waarom. Ik ga er morgen naartoe. Zou jij het niet leuk vinden om het nieuwe ziekenhuis te zien?'

Kualid moest weer denken aan de misselijkmakende stank en de vage gedaanten van de op de stretchers achtergelaten lichamen die hij in het halfduister had gezien toen hij Kader was gaan opzoeken, en hij begreep niet hoe de kalligraaf kon denken dat hij belangstelling had om een ziekenhuis te zien. Daarom antwoordde hij nogmaals met een soort gebrom dat geen ja of nee betekende.

Babrak begon zich te ergeren aan het weinige enthousiasme van de jongen: 'Oké,' zei hij toen, 'ik ga er morgen heen omdat ze een schilder zoeken. Jij bent nu ook een beetje schilder, dus als je wilt, kun je met me meegaan, maar blijf anders maar thuis, want ik weet niet wanneer ik weer in de winkel ben.'

De volgende ochtend staarde Kualid, terwijl hij een glas in zijn handen had, zijn moeder aan die de pot wegbracht, terwijl grootvader, die vlak bij hem gehurkt zat, van zijn warme thee nipte. Toen ze terugkwam in de kamer, zag de vrouw de blik van haar zoon, die zijn glas nog niet naar zijn mond had gebracht, op zich rusten.

'Je kijkt me aan alsof je me nog nooit gezien hebt,' zei ze. 'Is er iets niet in orde? Heb je weer eens iets uitgehaald?'

De jongen zat te denken aan wat de kalligraaf hem de dag ervoor over het nieuwe ziekenhuis had verteld. Hij was besluiteloos: hij wist niet of hij zijn moeder moest vertellen dat ze daar vrouwen zochten om in dienst te nemen. Hij keek haar nog intenser aan, thuis hield ze haar gezicht onbedekt.

Wat is ze mooi. Ze is geen weduwe, wat kan een ziekenhuis haar interesseren? dacht hij verrast.

'Ik kijk naar je omdat je mooi bent, mama,' antwoordde hij in één adem. Daarna dompelde hij zijn lippen in de thee onder terwijl hij zijn ogen neerliet op zijn glas, omdat hij zich schaamde voor wat hij net had gezegd. Daardoor zag hij niet dat een van de zeldzame glimlachen van zijn moeder haar gezicht een ogenblik opklaarde.

'Ah, dus je hebt toch besloten om met me mee te gaan,' zei Babrak tegen Kualid toen hij opeens voor hem stond, nog meer buiten adem dan gewoonlijk. De jongen had echt flink moeten rennen om bij de winkel van de kalligraaf aan te komen voordat die zou vertrekken. Hij was tot op het laatst onzeker geweest. Hij had elk excuus gezocht om de beslissing uit te stellen. Hij had ook aangeboden om zijn grootvader met zijn kar naar de bazaar te vergezellen, maar de oude man had juist die ochtend besloten om niet te gaan.

'Vandaag ben ik moe, Kualid,' had hij hem geantwoord. 'Weet je, mijn botten kraken af en toe omdat ze me al te lang overeind houden.'

Kualid had gedacht aan het gekraak van de planken van de kar en had zich zijn grootvaders botten voorgesteld, net zo grijs, droog en vol aderen.

De kalligraaf deed de deur van de winkel met een ketting en hangslot dicht en ging op weg naar de oude Sovjetschool, waar zich nu het ziekenhuis bevond. Uit respect liep de jongen een paar passen achter hem, maar met een rechte rug, zich voorstellend dat de voorbijgangers die ze tegenkwamen, dachten dat hij belangrijk was: in feite was hij ook een beetje schilder, Babrak had hem dat gezegd. Hij was er zo van overtuigd dat hij, ook al sloeg niemand acht op dat brillenmannetje met dat jochie in zijn kielzog, ieders ogen op zich gericht voelde, en hij liep nog parmantiger.

De net geverfde, spierwitte muren van het ziekenhuis staken af tegen de stoffige, nietszeggende kleur van de lage bouwwerken en het slechte wegdek die eromheen lagen. Het contrast was zo sterk dat het gebouw iets buitenaards had, geland uit een ver melkwegstelsel. De lange, ongeordende rij zwijgzame schimmen naast de muur, die achter het toegangshek verdween, maakte het beeld nog onwerkelijker. Het moest minstens een vijftigtal vrouwen geweest zijn, bedekt door hun boerka's; bewogen door de wind leken hun schaduwen op de witte muur te zweven en te dansen. Sommigen droegen kleine kinderen in hun armen die in die rivier van verschoten stof leken te drijven. Gewaarschuwd door de tamtam die de hele stad had doorkruist, waren ze gekomen om in het ziekenhuis om werk te vragen.

Babrak en Kualid liepen de rij voorbij en bevonden zich, nadat ze de ingang gepasseerd waren, op de binnenplaats voor de ziekenhuispaviljoens, die ook wit geverfd waren, maar met een felrode onderkant. De gebouwen verrezen in een grote tuin, waar door de kou van de winter die inmiddels in aantocht was geen kleuren of bloemen waren, maar de kromme takken van de net geplante bougainvilles leken dat wel te beloven.

Het tafereel dat zich voor de ogen van de kalligraaf en de jongen afspeelde, deed hen stomverbaasd staan. Nadat ze eenmaal naar binnen gegaan waren, tilden de vrouwen de sluier van hun boerka op en ontblootten hun gezicht. Jonge en oude gezichten, vaag te onderscheiden haarlokken, angstige en nieuwsgierige ogen, gesloten en halfopen monden in verlegen glimlachen. Dat wat buiten een vage stroom van verschoten stof leek, was plotseling in een rijkdom van verschillende details uiteengevallen, zo uiteenlopend waren de vrouwelijke gezichten die ongelooflijk genoeg tevoorschijn kwamen.

Zoals wanneer je een steen in een vlakke, troebele vijver gooit, dacht Babrak, en dan krijgt het oppervlak een heleboel kleine golfjes, waaraan de zon allemaal verschillende en even schitterende weerspiegelingen geeft.

De vrouwen gaven een voor een hun personalia op aan een man die ze in een register opschreef en hun een kaartje gaf. Vlak naast de man van het register stonden twee buitenlanders. Door de beschrijving die Babrak had gekregen, herkende hij de Italiaanse arts onmiddellijk. Hij was lang en dun; zijn haviksneus stak uit de ruige bos van zijn baard en zijn grijze, ongekamde haar deed hem op een kaalgeplukte vogel lijken. Ook de ander was vast Italiaans, want hij sprak met luide stem in een vreemde taal met hem. Babrak begreep natuurlijk niet wat de twee tegen elkaar zeiden, maar hij merkte wel hoe luidruchtig het gelach was dat de vriend van de arts af en toe, als een salvo, uitstootte. De tweede Italiaan was kleiner en had een tamelijk massieve lichaamsbouw, en ook hij had een baard. Vreemd genoeg, dacht de kalligraaf, laten ze die vrijwillig staan. Babrak was al jarenlang nieuwsgierig naar hoe zijn eigen gezicht zonder baard zou zijn, maar de taliban verbood mannen ten strengste hun gezicht te scheren, en daardoor had hij die nieuwsgierigheid nooit kunnen bevredigen.

Maar wat de kalligraaf en de jongen het meest trof, was de donkere gestalte die, met de armen over elkaar geslagen, het tafereel op korte afstand van de vrouwen en buitenlanders gadesloeg. De zwarte, om zijn hoofd gewikkelde tulband, de korte maar dichte baard die zijn wangen bedekte: het was onmiskenbaar een talibanstrijder. Maar hij leek ongewapend, hij had geen kalasjnikov, en je zag ook geen stokken of zwepen tussen de plooien van zijn lange gewaad uit komen. En, nog ongelooflijker, hij bekeek de vrouwen die hun gezicht aan de buitenlanders lieten zien aandachtig, maar zonder tussenbeiden te komen, alsof het niet de ergste zonde was die er bestond. Integendeel, op een gebaar van de arts was hij dichterbij gekomen en had hij hem geholpen door wat een van hen zei voor hem te vertalen.

Kort daarna had de andere Italiaan, de luidruchtige, hem zelfs een klap op zijn schouder gegeven, en de talibanstrijder had gereageerd door een geamuseerde glimlach tevoorschijn te toveren. Toen ze de aanwezigheid van de kalligraaf en Kualid opmerkten, liepen de twee Italianen en de talibanstrijder hun tegemoet.

'*Do you speak English?*' vroeg de arts terwijl hij zich tot Babrak richtte.

De kalligraaf wierp een scheve blik op de man met de zwarte tulband en wilde, ook al zag hij geen enkele beschuldigende uitdrukking op zijn gezicht, liever geen risico nemen. Gewoonlijk koesterden de taliban verdenkingen tegen mensen die iets van ontwikkeling toonden; ze dachten al snel dat het spionnen of vijanden van de godsdienst waren, en ze behandelden hen al even snel als zodanig. Babrak schudde met een verlegen knikje van zijn hoofd van nee.

'Oké,' zei de arts tegen de talibanstrijder. '*Do you mind translating for us, Sernior?*'

'*No problem,*' antwoordde hij.

Sernior was de naam van de talibanstrijder. Verstomd volgde Kualid wat zich voor hem afspeelde. Alle nieuwe dingen van die dag, de vrouwen die hun gezicht lieten

zien, de talibanstrijder die dat toestond, de twee buitenlanders, het was allemaal echt te veel voor hem en had
hem overweldigd, hem in een staat van spanning en
opwinding gestort die zijn geest leek te verlammen.
Maar er volgden nog meer verrassingen.

Toen ze zich in het kinderpaviljoen van het ziekenhuis bevonden, waar nog geen patiënten waren maar de
bedden wel klaarstonden om ze op te nemen, viel de
mond van de kalligraaf en van de jongen letterlijk open
van verbazing. Op de muren van het grote vertrek
waren eindeloos veel figuren getekend, grote, kleine, in
alle vormen en maten. Er was van alles te zien: vissen,
vogels, vlinders, wolken, en elke afbeelding had grappige ronde ogen, een carnaval van speelse en ondeu-
gende poppen.

Alsof de tekeningen die Babrak in zijn winkel verstopt uit hun doos ontsnapt zijn en op de muren zijn
geklauterd en alle hoeken bezet hebben, dacht Kualid,
gefascineerd door al die vreemde vormen.

Ook de kalligraaf was nu met stomheid geslagen. Hij
haalde zijn ogen alleen even snel van de tekeningen op de
muren om heimelijk de gezichtsuitdrukking van de talibanstrijder te peilen. Het leek hem werkelijk onmogelijk
dat hij daar rustig stond, voor iets wat voor hem een
onaanvaardbare doodzonde moest zijn, en hij kon het
hardnekkige gevoel van ongerustheid niet van zich
afschudden.

Maar het was uitgerekend Sernior die voor hem ver-
taalde wat de arts hem uitlegde. 'Dit is de afdeling waar
we de gewonde kinderen gaan opnemen,' zei hij, 'kinderen die alleen oorlog en puin hebben gezien. Dus we

dachten dat het mooi zou zijn als ze hier in elk geval iets leuks zouden kunnen zien, dat ze een beetje gezelschap houdt terwijl ze in bed moeten liggen. Mooie dingen helpen om beter te worden,' voegde hij eraan toe. Daarna wees hij naar de luidruchtige Italiaan die glimlachend naast hem stond en die krachtig op zijn hoofd krabde, alsof de weinige haren die hij nog op zijn hoofd had vol met luizen zaten, en hij ging verder: 'Deze vriend van mij kan niet alleen enorm veel herrie maken, maar kan ook heel goed tekenen. Hij heeft al die figuren op de muur gemaakt. Maar wij vertrekken overmorgen naar Pansjir en er is geen tijd meer om ze in te kleuren.' Daarna richtte hij zich tot Babrak: 'Ze hebben me verteld dat je een bekwaam kalligraaf bent, dus heb je vast wel verstand van verf en penselen. Zou jij deze tekeningen willen inkleuren?'

Babrak bleef als versteend staan, alleen zijn ogen bewogen, achter zijn bril. Ze sprongen van de arts terug naar de muur en van de muur naar de talibanstrijder die net het voorstel voor hem had vertaald. Totdat Sernior ongeduldig werd van al dat getwijfel en er uit eigen beweging op enigszins norse toon aan toevoegde: 'Komt er nog een antwoord of niet? Debiele schilder!'

Pas toen stemde de kalligraaf eindelijk in. 'Ik doe het,' zei hij met een klein stemmetje. De klap die hij onverwachts op zijn schouder kreeg, deed hem van schrik opspringen. Hij had hem van de luidruchtige Italiaan gekregen, die nu ook zijn handen had vastgepakt en ze heen en weer schuddend en lachend bleef herhalen: 'Insjallah, insjallah...'

Insjallah is zeker het enige woord dat hij van onze taal

kent, dacht Babrak en hij antwoordde met een vage glimlach omdat hij zich ongemakkelijk voelde door diens rumoerige enthousiasme.

Maar dat enthousiasme had Kualid juist aangestoken. Terwijl hij helemaal opging in die tekeningen, fantaseerde hij over wanneer hij de kalligraaf zou helpen om ze met verf in te kleuren. Op een van de muren was een hemel vol grappige vogels en wolken met ronde ogen getekend. Er was ook een vlieger, ook met ronde ogen, die hoger dan de wolken vloog. Zoals die van strootjes die Babrak op het blauwe karton heeft gemaakt, dacht Kualid en hij wilde de kalligraaf net aan zijn mouw trekken om het te zeggen, maar hield zich in, omdat hij net op tijd merkte dat hij het geheim van Babrak zo aan de buitenlanders en de talibanstrijder zou hebben onthuld en het pact dat hij met hem gesloten had zou hebben verbroken.

'Nou, wat denk je ervan?' vroeg Babrak aan Kualid zodra de anderen vertrokken waren en hen alleen in het paviljoen hadden gelaten om de klus te bestuderen.

'Ik denk dat de Italiaan alle figuren tekent met de grappige ronde ogen die hij zelf heeft,' antwoordde de jongen. De kalligraaf barstte in lachen uit en Kualid viel hem direct bij. En in dat gelach ontlaadde zich de spanning die zich in hen had opgebouwd.

De volgende ochtend stonden de kalligraaf en de jongen alweer vroeg voor de muren met tekeningen, maar ditmaal met de verf en de penselen die Babrak uit de winkel had meegebracht. Kualid bekeek de vlieger op de muur en eindelijk kon hij, aangezien ze alleen waren, de kalligraaf laten zien hoezeer hij op die op het blauwe kartonnetje leek.

'Zou de luidruchtige Italiaan wel weten dat ze hier verboden zijn?' dacht de kalligraaf hardop.

'Waarom beginnen we niet met die in te kleuren?' stelde Kualid voor.

'Nee,' antwoordde Babrak, 'je moet altijd eerst de achtergrond en dan de figuren verven. We beginnen bij de muur waarop de zee met de vissen is getekend. Maar aangezien jij zo van vliegers houdt, denk ik erover om een echte voor jou te maken. Je kunt hem niet laten vliegen, maar je weet wel dat je hem hebt. Dat zal ook een van onze geheimen zijn, maar kom op, laten we aan het werk gaan,' sloot hij af.

'Hier, doe er nu nog wat meer geel bij, niet te veel, en dan goed mengen.' Babrak hield het mengen van de verf waarmee ze de zee zouden schilderen nauwlettend in de gaten. Kualid mengde de kleuren in een grote plastic teil, voorzichtig dat hij de vloer niet vies maakte.

Op het laatst liet de kalligraaf hem water toevoegen aan de dikke verf, die de bak bijna tot aan de rand vulde. 'Perfect, nu is het goed,' zei hij terwijl hij aan zijn dunne baard krabde en het eindresultaat van het mengen bekeek: een soort pistachegroen neigend naar geel.

Toen de Italiaanse arts en Sernior aankwamen, hadden Babrak en Kualid er al bijna de helft van de muur die de zee voorstelde mee geverfd.

'*What's that?*' barstte de arts los terwijl hij zich tot de kalligraaf wendde. '*The sea is blue, not yellow. Have you never seen the sea?!*'

De talibanstrijder maakte zich op om te vertalen, maar Babrak, gekrenkt in zijn trots, antwoordde meteen gepikeerd: '*No, I have never seen the sea. There is no sea in Afghanistan. Do you know, doctor?*' Hij stopte. Hij bestudeerde het geamuseerde gezicht van de arts en zag de verbazing van de talibanstrijder, en hij merkte de stommiteit die hij had begaan nog op voordat Sernior, een beetje fronsend, losbarstte: 'Dus je verstaat Engels!' Kualid voelde zich als verlamd. Babrak wist niet meer wat hij moest antwoorden, hij kon zijn tong wel afbijten om zijn eigen stommiteit. Stom, wat stom was hij geweest. De talibanstrijder richtte zich tot de arts en terwijl zijn vinger naar de kalligraaf wees, voegde hij eraan toe: '*He is a lier, he understands English!*'

De stilte werd door een vette lach onderbroken. 'Oké, oké,' zei de arts tegen de kalligraaf, die daar doodstil naar de vloer stond te kijken, alsof hij hoopte dat hij erin kon verdwijnen. '*But English or not, the sea is not yellow. Please, mister Babrak, paint it blue.*'

Op dat moment glimlachte Sernior ook, maar hij wierp Babrak wel een waarschuwende blik toe: probeer me niet nog een keer voor de gek te houden! leek hij te willen zeggen.

Een paar uur daarna was de zee op de muur helemaal blauw. Of eigenlijk niet helemaal. In een hoekje zwom een visje in een kleine plas pistachegroen, neigend naar geel. Kualid durfde de kalligraaf niet te vragen of hij het per ongeluk zo had gelaten of om de buitenlandse dokter, die pretendeerde dat hij de kleur van de zee kende, te treiteren. Ook al weet iedereen dat er geen zee in Afghanistan is.

O p de bazaar ging Kualid, terwijl grootvader de koopwaar op de kar goed legde, maar door met het enthousiast beschrijven van de figuren die op de muur van het nieuwe ziekenhuis getekend waren en die nu, dankzij Babrak en ook hemzelf, schitterden door felle kleuren. Dat was geen geheim, zoals de geheime tekeningen van de kalligraaf. Wanneer het ziekenhuis open zou gaan, zou iedereen ze kunnen zien.

'De talibanstrijder die ze daarheen hebben gestuurd om de buitenlanders in de gaten te houden zei niks, grootvader. Hij werd niet boos. Maar zijn die figuren geen belediging voor Allah?'

'Ik weet het niet, Kualid,' antwoordde grootvader terwijl hij zijn hoofd schudde, 'misschien ben ik te dom om het te begrijpen en te oud om het me af te vragen. De taliban zijn in elk geval overtuigd van wel, en zij zijn nu aan de macht. Daarom zou het verstandiger zijn als jij niet rondbazuint dat je je vriend de kalligraaf hebt geholpen ze in te kleuren.'

Daarna begonnen de eerste klanten op de kar af te komen en tussen de hopen tweedehandskleding te snuffelen. De vrouwen, altijd vergezeld door een man, zoon of echtgenoot, voelden aan de stoffen door ze door hun vingers te laten gaan om de staat en kwaliteit ervan te voelen. Grootvader bemoeide zich er vaak mee: 'Denk je dat ik vodden verkoop? Dit is allemaal goed spul, als je het niet vertrouwt, ga dan maar en laat het liggen.' En even vaak gingen ze ook echt weg, zwijgend, opgeslokt door de mensenmassa van de markt. Niet zozeer omdat ze de koopwaar niet waardeerden, maar eerder omdat ze het weinige geld dat nodig was om iets te kopen niet hadden.

Toch bleef er af en toe iemand, en dan begon er een uitgebreide onderhandeling. Grootvader was echt goed in het tegenspreken van wie de kwaliteit in twijfel trok om de prijs te laten zakken. Hij beschreef en prees zijn oude kleren alsof het koningsmantels waren. Hij verzon verhalen over hun herkomst en voegde er zelfs aan toe dat hij van sommige kledingstukken de eigenaren had gekend, rijke families beweerde hij over het algemeen, die onverwachts naar verre landen hadden moeten vertrekken omdat ze door boeven werden bedreigd of om naar nog rijkere familieleden te gaan. Ze hadden hem die goederen dan ook in bewaring gegeven, maar daarna hadden ze niks meer van zich laten horen. 'Alleen daarom heb ik besloten deze chique jurk te verkopen,' zei hij, 'maar soms ben ik bang dat ik hun vertrouwen schaad, ze zouden terug kunnen komen en hem terugvragen. Ik weet eigenlijk niet eens zo zeker of ik hem wel kan verkopen, dus als je hem wilt, kun je hem beter zo snel mogelijk kopen, voordat ik me bedenk,' zei hij tot slot tegen de klant.

Niet alleen Kualid was geboeid door zijn fantasievolle verhalen. Bij elke onderhandeling verzamelde zich een groepje nieuwsgierigen rond de oude man, die aandachtig luisterden. Sommigen deden zelfs direct mee, door zich er nu eens ten gunste van de verkoper in te mengen en dan weer ten gunste van de koper. Het spektakel was pas afgelopen wanneer de koopwaar van eigenaar wisselde. Dan ging het groepje uit elkaar en grootvader liet de verkreukelde bankbiljetten die hij had verdiend snel in een binnenzak van het lange bruine vest verdwijnen dat hij over zijn gewaad droeg.

Tijdens de dagen die hij op de bazaar doorbracht, verveelde Kualid zich bijna nooit. De algehele misère maakte weliswaar dat er geen grote hoeveelheid producten was, maar er was wel een authentiek assortiment van mensen, gezichten, woorden, bewegingen en geuren. De jongen dompelde zich erin onder en liet zich erdoor meevoeren zoals door het water van een rivier, met een soms langzaam kabbelende en dan weer snelle en onstuimige stroom.

Het gezang van de muezzins die vanuit de minaretten tot het avondgebed opriepen, bereikte hem onverwachts, ook al had het daglicht dat verbleekte het aangekondigd door de schaduwen die aan de nacht voorafgingen langer te maken. Net als het licht werd ook het volk op de bazaar minder, het drukke geschreeuw werd zwakker en alles, ook de lucht, leek tot stilstand te komen.

Kualid had zich gehaast om het gebedskleedje te pakken dat zijn grootvader in een zak bewaarde, om het hem aan te reiken, maar de oude man stond met zijn rug naar hem toe. Hij had niet zoals alle anderen het werk neergelegd, hij ging verder met het inpakken van zijn tweedehandskleding met touw. Kualid verbaasde zich erover, want doorgaans stopte zijn grootvader bij de eerste klanken van de stemmen van de muezzins. Zou hij ze niet gehoord hebben, is hij misschien echt doof aan het worden? dacht hij. Hij moet toch gemerkt hebben dat iedereen zich opmaakt voor het gebed?

Hij wilde net aan de zoom van zijn grootvaders vest trekken en hem waarschuwen toen de stilte werd doorbroken door een geluid van een motor en het nerveuze remmen van een auto. De jongen draaide zich om en zag nog net de pick-up vol taliban van de moraalpolitie, met hun zwarte tulbanden, of ze waren er al uit gesprongen en renden op hen af. Instinctmatig sprong hij naar voren om zijn grootvader te beschermen, maar de eerste strijder die hen had bereikt, gaf hem een flinke duw, die hem met zijn rug op de bestrating deed belanden.

De pijnscheut belette hem niet om te proberen weer op te staan, maar hij kon alleen zijn bovenlijf optillen door kracht op zijn armen te zetten. Even zag hij zijn grootvaders gezicht, dat eerder verbaasd dan verschrikt leek, daarna dekte de hand van de talibanstrijder die de oude man begon te slaan zijn gezicht af, zodat hij elke uitdrukking wiste. Een andere talibanstrijder sloeg hem met een stok op zijn schouder. Nog een andere diende hem een stomp in zijn buik toe. Grootvader klapte dubbel. Het leek Kualid of hij verdween, alsof hij was opgeslokt door het kolken van de lange gewaden en zwarte tulbanden van de strijders die boven hem hingen en hem bleven slaan.

De woede die plotseling als een vlam werd aangestoken, vaagde in een ogenblik de pijn en angst weg. Kualid wierp zich razend op de groep talibanstrijders die zijn grootvader nu naar de pick-up sleepten. Als een wilde kat sprong hij op de rug van een van hen, zich vastgrijpend aan zijn gewaad in een poging hem in zijn schouder te bijten. Daarna was het alsof iets ontploft was, niet voor hem maar binnen in hem, achter zijn oogbollen in zijn oogkassen; een witte lichtflits en een doffe, onmiddellijke pijn. Hij had niet eens de tijd om te beseffen dat hij door de kolf van een kalasjnikov was geraakt, tussen zijn jukbeen en neuswortel, of hij lag alweer op de grond. Met zijn ene hand nog verkrampt van woede stak hij zijn vingers in de kiezelachtige grond alsof hij die wilde wegrukken, met de andere wreef hij over zijn gezicht om zich te ontdoen van de weerkaatsingen van de witte lichtflits die nog voor zijn ogen dansten en zijn zicht wazig maakten. Toen hij weer scherp kon zien, zag hij alleen de pick-up die wegreed, en op dat moment mengden de tranen zich met het snot en het straaltje bloed dat uit zijn neus kwamen en zijn gezicht besmeurden.

Hij kwam na de avondklok thuis, toen het al donker was. Zijn moeder had de olielamp nog niet aangestoken, om de brandstof te besparen. De jongen verscheen voor haar als een broos donker silhouet dat tegen de ingang afstak, tussen de duisternis van de kamer en het zwakke schijnsel van de nacht buiten.

Daarom merkte de vrouw het opgezwollen gezicht van haar zoon niet meteen op. 'Zo Allah het wil, zijn jullie teruggekomen,' begon ze, 'het is allang donker en ik was ongerust. Goed, ik zal de lamp aansteken en iets te eten maken voor jullie.' Ze boog voorover om de lamp aan te steken en terwijl de vlam zich over de lont uitbreidde, zei Kualid met schorre stem: 'Grootvader is er niet.' De zin klonk bijna meer als een vraag dan een bewering, want op de weg naar huis, terwijl hij de pijnscheuten voelde die in zijn hele rug vertakten en het kloppen en opzwellen van zijn rechteroog tot zijn oogleden in een blauwe bult aan elkaar groeiden, had hij de hoop dat de taliban de oude man hadden losgelaten en dat hij op de een of andere manier eerder dan hij was thuisgekomen niet helemaal kunnen onderdrukken. Hij wist dat het niet mogelijk was, maar stelde zich voor dat hij hem weer omhelsde. Ja, had hij gedacht, grootvader zal me dicht tegen zich aan klemmen, ook al wordt hij daarna boos omdat ik de kar en de koopwaar onbewaakt op de bazaar heb achtergelaten.

'Grootvader is er niet.' Zijn stem die woorden horen uitspreken had elke hoopvolle fantasie in duizend scherven doen stukvallen. Zijn moeder tilde de aangestoken lamp op. 'Waar is grootvader? Waarom is hij niet bij...' vroeg ze toen het toegetakelde gezicht van haar zoon bij het flakkerende licht van de lamp voor haar verscheen. De vrouw verstijfde en een gilletje ontsnapte uit haar borst. 'Barmhartige Allah! Wat is er met je gebeurd, mijn zoon?' vroeg ze met een door ongerustheid gebroken stem, en ze bracht beide handen naar haar mond. Kualid vertelde hoe zijn grootvader de oproep tot het gebed had genegeerd en van de moraalpolitie die hem had meegenomen, en terwijl hij er tegen zijn moeder over sprak, leek alles wat er gebeurd was hem onwerkelijk. De toon van zijn stem werd langzaamaan zachter. Hij hield zijn hoofd op de schoot van zijn moeder, die met een in water gedrenkte doek het gestolde bloed van zijn gezicht schoonmaakte en de pijn van zijn wonden probeerde te verlichten.

Het contact met zijn moeders handen gaf Kualid nog meer dan dat met het koude water geleidelijk aan een geruststellend gevoel. Elk gebaar van de vrouw was voor hem een liefkozing en hij werd overspoeld door een lauwe loomheid die hem snel dwong zijn ogen te sluiten en in slaap te vallen.

De bloeduitstorting op zijn oog begon weer pijn te doen en de jongen werd wakker in het weer donkere vertrek, zijn hoofd op de mat en niet meer op zijn moeders benen. Hij stond op toen zijn gezonde oog aan het halfduister was gewend en keek naar de plek waar hij het silhouet van zijn slapende grootvader had moeten zien. De leegte van die plek deed een ogenblik alle ongerustheid die de slaap had ingedamd terugkomen. Hij werd erdoor overvallen als door de hevige stroom die losbarst uit een dijk die doorbreekt. Hij voelde dat hij stikte, alsof die stroom hem echt liet verdrinken.

Hij rende de kamer uit om zijn longen met de koude lucht van de nacht te vullen. Daar zat zijn moeder, gehurkt naast de ingang van het huis, de sluier over haar gezicht neergelaten, de stof van haar boerka lichtjes beroerd door de wind die dat beeld van onbeweeglijkheid in beweging bracht.

'Mama, wat doe je hier buiten? Het is koud, je wordt ziek.'

'Ik wacht op je grootvader,' antwoordde de vrouw.

De jongen begreep dat ze daar de hele nacht had gezeten. Hij wist niet wat hij moest antwoorden. Hij voelde zich schuldig omdat hij in slaap gevallen was, hij moest iets doen, hij moest het meteen doen, maar hij wist niet wat.

Angst en ongerustheid veranderden in een soort machteloze gejaagdheid die hij door zijn zenuwen voelde stromen, die zijn spieren aanspande, zijn pezen verstijfde.

Met een bruusk en geïrriteerd gebaar schoof Kualid de zware lap voor de ingang opzij en ging het huis weer in. Op de vloer zag hij de nog vochtige doek waarmee zijn moeder zijn gezicht had schoongemaakt. Hij bukte en raapte hem op. De contouren van de slang van de nacht leken zich te willen verzetten door zich halsstarrig aan de muur vast te klampen, maar Kualid gaf niet op: hij haalde de doek steeds maar weer over de figuur terwijl hij er hard op drukte en flink wreef, met een schokkerige en ronddraaiende beweging van zijn arm. 'Ga weg!' schreeuwde hij zonder stem. 'Ga ogenblikkelijk weg!' Toen hij ophield, was er alleen nog een vage vlek achtergebleven, donkere strepen die elkaar kruisten en door elkaar heen liepen. Maar het rode oog, dat zat er nog. De droge modder van de muur had de bloedvlek opgenomen en gaf hem niet meer terug. Het rode oog leek Kualid volhardend aan te kijken.

Terwijl hij de restanten van de tekening woedend bekeek, kreeg de jongen een idee: de tekeningen op de muur, het nieuwe ziekenhuis, de talibanstrijder die niet had ingegrepen, dacht hij in een snelle associatie van ideeën. Ik moet hulp gaan vragen aan die talibanstrijder. Een zwerm gedachten kwam opeens op: de angst om met de talibanstrijder te praten, dat hij hem niet meer kon vinden in het ziekenhuis, de angst om weer geslagen te worden. Als vervelende vliegen joeg hij ze weg. Hij ging weer naar buiten en hurkte zwijgend naast zijn moeder neer. Door het dichte gaas van haar boerka dat de ogen van de vrouw bedekte, kon hij niet zien waarop ze gericht waren. Die van hem waren strak gericht op het zwarte silhouet van de berg, vol spanning om hem duidelijk tegen de hemel te zien afsteken, wanneer het lichter zou beginnen te worden met het eerste daglicht. Bij zonsopgang zou hij naar beneden de stad in rennen, naar het ziekenhuis, om de talibanstrijder te zoeken.

'Hé, wil je dat hek soms omverhalen?' De stem van Kharachi bereikte hem van achter zijn rug, van onderen. Zoals altijd dook het bovenlichaam van de man op zijn houten karretje op de onverwachtste plekken en momenten op. Kualid stopte maar eventjes om hem te bekijken en te antwoorden: 'Ik moet naar binnen!' Daarna begon hij weer met zijn vuisten op de rode staalplaat van het hek van het ziekenhuis te slaan. In het metalen kabaal hoorde hij Kharachi niet eens zeggen: 'Wacht hier, laat mij maar,' en hij was bijzonder verbaasd toen het hek eindelijk openging en hij hem weer voor zich zag, samen met een man die hem lichtelijk geïrriteerd vroeg wat hij wilde. 'Ik moet de talibanstrijder spreken,' zei Kualid bijna schreeuwend. 'Ik moet hem direct spreken.'

De man, een van de werklieden die de laatste hand legden aan de bouw van het complex, keek eerst perplex naar Kualid en daarna naar Kharachi, die hem was gaan halen door via een secundaire ingang naar binnen te gaan. 'Over welke talibanstrijder heeft de jongen het?' vroeg hij aan de invalide, die antwoordde door zijn armen te spreiden en zijn schouders op te halen. Kualid wilde naar voren springen, in een poging tussen Kharachi en de werkman door te gaan. Maar die laatste greep hem snel bij zijn arm en hield hem tegen voordat hij zijn eerste stap kon afmaken. 'Waar denk je naartoe te gaan?

Het ziekenhuis is gesloten.' Maar de jongen, worstelend om zich los te rukken, begon te schreeuwen, en deze keer luidkeels: 'Laat me, ik moet met de talibanstrijder spreken, de talibanstrijder die hier de wacht houdt, laat me naar binnen!'

'Wat is hier aan de hand?' De stem kwam van achteren en Kualid herkende hem meteen. Het was Sernior.

De werkman liet zijn greep verslappen en Kualid kon zich omdraaien. Het unieke gepiep van de wielen van Kharachi's karretje wees erop dat de oorlogsinvalide besloten had te verdwijnen. De jongen stond zwijgend voor de talibanstrijder, die nu met een fronsende blik, met zijn armen over elkaar geslagen, naar de werkman keek: 'Nou?' drong Sernior aan, die nog op een antwoord op zijn vraag wachtte.

De overduidelijk bang geworden werkman mompelde: 'Deze jongen wilde met alle geweld het ziekenhuis binnengaan, ik weet niet waarom, ik heb hem tegengehouden en hij begon als een gek te gillen...'

'Ik zocht jou,' onderbrak Kualid hem, terwijl hij de moed vond om zijn ogen op het gezicht van de man te richten.

'Mij?' vroeg hij stomverbaasd aan de jongen.

Misschien kwam het door zijn door bulten en blauwe plekken misvormde gezicht of misschien had hij toen hij met de kalligraaf was meegekomen helemaal niet op hem gelet, maar Sernior had de kleine assistent van Babrak niet herkend. Kualid begreep dat uit zijn nog vragender blik en hij begon zich verloren te voelen. Maar door zijn wanhoop reageerde hij met vastberadenheid op het verdriet dat hem aangreep. 'Ik ben de schilder, een van de schilders,' verbeterde hij meteen, 'die de tekeningen in het ziekenhuis hebben ingekleurd,' zei hij terwijl hij probeerde zijn stem een gewichtige toon te geven. Sernior kon een glimlach niet onderdrukken. 'Dus jij bent de schilder... Oké, en wat wil je van mij, schilder?' Kualid voelde zich aangemoedigd door die glimlach en begon hem te vertellen wat er gebeurd was. 'Het is een vrome man, mijn grootvader. Ik zweer het u, meneer. Hij heeft nooit verzuimd om te bidden. Maar hij is oud, misschien een beetje doof, hij heeft de oproep zeker niet gehoord.' Sernior luisterde aandachtig naar de jongen, zonder zijn verhaal maar één keer te onderbreken. Ook niet toen het warrig en vol tegenstrijdigheden werd.

Toen Kualid klaar was met praten, keek de talibanstrijder hem onderzoekend aan en hij las op zijn gezicht de vraag om hulp die het jongetje niet in woorden had durven uitdrukken. 'Goed,' zei hij hem, 'wacht hier op me. Ik ga kijken wat ik voor jou en je grootvader kan doen. Ik weet niet hoeveel tijd ik nodig heb. Jij blijft hier en je verroert je niet tot ik weer terug ben. Heb je dat goed begrepen?' Kualid knikte en Sernior liep weg zonder er nog iets aan toe te voegen.

De jongen ging vlak bij de omheiningsmuur van het ziekenhuis op zijn hurken zitten en stelde zich op het wachten in. Daarbij nam hij zich voor om niet te denken, niet te beginnen met fantaseren. Hij richtte zijn blik dus op een onbepaald punt voor zich en deed zijn best zijn blik daar niet vanaf te halen, ook al begonnen zijn ogen, of eigenlijk één oog, het enige dat hij kon openhouden, vlak daarna te branden. Het leek of hij de voortdurende beweging van het verkeer van mensen, fietsen en karren dat de straat voor hem verlevendigde niet zag, net als het af en aan lopen van de werklieden die het ziekenhuis met hun gereedschap in- en uitgingen. Hij was ervan overtuigd dat als hij zich van het verstrijken van de tijd kon vervreemden, hij niet door de ongerustheid van het wachten zou worden overvallen.

'Ik ben misschien klein, maar niet zo klein dat ik over het hoofd gezien word.' Kharachi stond voor hem, zijn armen op zijn heupen die op het hout van het karretje eindigden moesten een ironische verontwaardiging uitdrukken, maar deden hem alleen maar op een vaas met twee handvatten lijken. 'Je hebt me niet alleen niet bedankt voor het openen van de deur van het ziekenhuis, maar je zegt me ook geen gedag. Weet je dat je echt een vreemde jongen bent!' sloot hij af.

Kualid zat op zijn hurken, waardoor zijn gezicht ter hoogte van dat van de invalide was, en aarzelde even voordat hij hem antwoordde, alsof hij moeite had om zijn gezicht scherp te zien: 'Sorry, Kharachi, ik dacht aan mijn grootvader.' Daarna zocht hij in zijn zak en vond een bankbiljet van weinig waarde, zo eentje als Babrak hem af en toe als fooi gaf. Hij pakte het en gaf het aan de invalide man.

'Wil je me beledigen?' reageerde Kharachi. 'Ik laat me niet betalen voor een gunst die ik aan een vriend heb verleend.'

'Toe, neem het alsjeblieft aan,' drong Kualid aan. 'Zie het niet als een betaling, maar als een klein teken van mijn dankbaarheid.'

'Oké, als het dat is!' antwoordde Kharachi en hij

strekte zijn hand uit en pakte het biljet snel aan. 'Vrede zij met je,' zei hij tegen de jongen terwijl hij wegging op zijn piepende wielen.

Hij had het bankbiljet niet aan de oude man gegeven om van hem af te komen. En, als hij er goed over nadacht, ook niet uit dankbaarheid. Maar zijn grootvader had hem dikwijls gezegd dat elk gul gebaar door Allah beloond werd.

Ik smeek u, grote en genadige Allah, zorg dat hij terugkomt, dacht hij terwijl hij zijn ogen sloot en zijn geest dwong zijn gebed omhoog te duwen. Richting de hemel, beeldde hij zich in, zoals de vlieger op het blauwe kartonnetje. Daarna wiste hij weer elke gedachte.

Hij schrok toen de grote pick-up met verduisterde ramen met piepende remmen precies voor hem stopte. Ze komen mij ook arresteren, dacht hij verschrikt. Daarna zag hij Sernior, die hem, nadat hij het portier van de bestuurderscabine had geopend, gebaarde om in te stappen, en hij werd iets rustiger.

Hij had nog nooit in een auto gezeten, en nu, gezeten tussen Sernior en de chauffeur, een talibanstrijder met ook een baard maar jonger, zag hij verbaasd de half verwoeste huizen van de stad snel aan zich voorbijgaan, alsof ze, het ene na het andere, op het bruine glas van het raampje voorbijgleden. 'We gaan naar Pul-i-Charkhi,' zei Sernior kortaf.

Kualid voelde een vlaag van trots, omdat de talibanstrijder tegen hem sprak zoals je je tegen een man richt, en dat diende om het ongeruste gevoel dat de verschrikkelijke naam van de gevangenis van Kabul had veroorzaakt te verlichten. 'Er is mij verteld,' vervolgde Sernior, 'dat jouw grootvader daarheen is gebracht. Ik ken hem niet persoonlijk. Jij moet met me mee naar binnen gaan en hem voor me aanwijzen.'

Uit de keel van de jongen kwam een zure oprisping naar boven, die zijn stem doordrenkte: 'Oké,' antwoordde hij met een doffe stem.

Al snel nadat ze de laatste rijen huizen en puin achter zich hadden gelaten en door een woeste open ruimte reden, zagen ze het sombere bouwwerk van de gevangenis. Het was een van de weinige gebouwen die nog intact waren. Tussen hoge muren en wachttorentjes lagen de paviljoens met drie verdiepingen met donkere ramen die wel gaten leken. Op de muren lagen rollen prikkeldraad te verroesten, en de hele gevangenis leek wel van roest. Dat begon al bij het grote hek van de hoofdingang.

De pick-up stopte daar vlakbij. Sernior zei tegen de chauffeur en de jongen dat ze niet moesten uitstappen maar wachten. En hij begaf zich te voet naar het hekwerk.

Kualid bekeek dat kasteel van roest en steen en merkte dat hij geboeid was door de indrukwekkende aanblik ervan. Daarna richtten zijn ogen zich op de gestalte van Sernior. Een kleinere deur in het hekwerk was opengegaan en hij kon de talibanstrijder zien die praatte met de twee bewakers die erdoor waren gekomen, hoewel hij de woorden niet kon opvangen. Er ging niet veel tijd voorbij voordat Sernior zich omdraaide en de chauffeur een teken gaf naar hem toe te komen. De bewakers openden het hek helemaal om de pick-up te laten passeren.

Hij aarzelde even voordat hij uit de vrachtwagen stapte. Die stoel verlaten was als het laten gaan van zijn laatste houvast om opgeslokt te worden door de hoge muren die hem nu omgaven. Kualid besloot pas op de grond te springen toen hij het portier van de chauffeur, die was uitgestapt nadat hij de motor had uitgezet, hoorde dichtslaan. Ze waren op een soort groot, onverhard plein, dat aan de overzijde in een metalen hekwerk eindigde, waarachter het eerste gebouw van het complex verrees. Er was een groepje vrouwen, sommige met hun kinderen erbij. Kualid had hen bijna niet gezien, omdat ze stilletjes gehurkt zaten onder een klein afdak, gemaakt van houten palen en golfplaat, vlak bij een lange, krakkemikkige tafel waarop ze later de bundels die ze in hun armen hielden zouden neerleggen, zodat de bewakers de inhoud ervan konden inspecteren. Het waren familieleden van gevangenen en ze stonden daar, wie weet hoe lang al, te wachten om hen te mogen bezoeken. Ook al kon hij hun door boerka's bedekte gezichten niet zien, toch voelde Kualid zich getroost door de aanwezigheid van die gestalten: op een bepaalde manier vormden ze een vertrouwd en geruststellend beeld, dat contrasteerde met dat van de bewapende bewakers die overal leken te zijn. Telkens wanneer hij zijn blik draaide, zag hij er meer, in de verte, zittend op de muren, of dichtbij, naast het metalen hekwerk, maar altijd met een kalasjnikov in hun handen. Zoals de bewaker die met hem voorbij het hekwerk was meegegaan, tot aan het eerste gebouw, in een donkere gang zonder ramen, waarin je toch de aanwezigheid van andere strijders kon waarnemen, gehurkt of tegen de muren geleund, onzichtbaar geworden door de duisternis. Je voelde hun ademhaling en hoorde, nu en dan, hun gedempte gefluister.

Aan het eind van de gang tekende een dunne lichtstraal zich duidelijk af, gefilterd door de halfopen deur van een vertrek. Sernior opende hem en ging er samen met de chauffeur naar binnen. Eventjes verblindde het schijnsel van het lampje dat aan het plafond hing Kualid, die het vertrek langzaamaan beter kon zien. Het was klein, met kale muren. Achter een oud bureau zat een zware man, die een wijde militaire jas droeg. Zijn hoofd was onbedekt, de brede band van zijn tulband was als een sjaal om zijn nek gewikkeld. Sernior begon bezield met hem te praten, de chauffeur draaide zich om en deed de deur dicht. Kualid bevond zich dus opnieuw in het donker, vlak bij de bewaker die hen had vergezeld. Maar alleen maar eventjes, want de deur ging vrijwel meteen, piepend in de verroeste scharnieren, weer uit zichzelf open. Door de spleet kon Kualid de hand van Sernior zien, die met een snel gebaar iets in die van de zware man achter het bureau stopte. Een stapeltje groene bankbiljetten, dacht hij. De man riep de bewaker, die zich haastte om de deur te openen, om binnen te komen. 'Breng ze naar de cel van de net aangekomen gevangenen,' beval hij hem op besliste toon, terwijl hij met een gebaar van zijn hoofd Sernior en de chauffeur aanwees. 'Samen met de jongen,' voegde hij eraan toe en hij wendde zich tot Kualid, die instinctief een stap naar achteren deed, alsof hij zich in het donker van de gang wilde verstoppen.

Een andere bewaker opende met trage, lusteloze bewegingen het ijzeren hek dat de doorgang naar een van de vleugels van de gevangenis versperde. Het metalen geluid van de ketting die werd ontdaan van het hangslot veroorzaakte een doffe weerkaatsing die in de stilte weerklonk.

Ze liepen eindeloos door de donkere gang, die was doordrenkt van een muffe lucht. Af en toe werd de lucht iets beter, door de koude windvlagen die door de ramen van de cellen langs de zijkanten van de gang kwamen. Sommige hadden een vergrendelde deur, andere waren open. Kualid wierp er steelse, schuine blikken in, zonder zijn hoofd ook maar één keer te draaien. Uit de hoge ramen, uitgerust met spijlen maar niet met glas, kwam samen met de koude lucht zwakjes een beetje daglicht, dat verloren ging tussen de menselijke schaduwen die die stinkende vertrekken bevolkten. In elke cel zaten opeengepakt minstens tien of meer gevangenen, die niet bewogen om de nauwe ruimte waaraan ze gekluisterd waren niet te verkwisten.

Sommigen lagen op hun buik op de stapelbedden, hun gezicht richting de deuropening. Anderen hurkten op de vloer, die met oude, versleten tapijten bedekt was om de vrieskou tegen te houden. Hun gezichten, die grijs geworden waren als de kleur van de muren, kwamen tevoorschijn uit de lange, woeste baarden en de plooien van de dekens die ze rond hun hoofd en lichaam hadden gewikkeld. Kualid voelde dat sommige van die blikken, die uit het hol van een of ander wild dier leken te komen, op hem rustten, maar het merendeel, ontdaan van elke uitdrukking, verdween in het niets.

Eindelijk kwam het groepje aan het eind van de gang, waar geen eind aan leek te komen. 'Doe open,' zei de bewaker die hen had vergezeld tegen de bewaker die ze voor de houten deur tegenkwamen die de grote ruimte aan het eind van de vleugel afsloot.

Ze gingen een donkere ruimte binnen. Het vertrek had geen ramen, maar in het weinige licht dat door de deur naar binnen kierde, kon je de vage vormen van de mannen die er opgesloten waren onderscheiden, roerloos als de stilstaande lucht die hen omgaf.

Ze waren met veel, in verschillende houdingen tegen elkaar geperst; ze leken wel hopen vodden die daar lukraak waren achtergelaten. Sernior fluisterde iets in het oor van de strijder die de cel had geopend en die schreeuwde meteen: 'Heet iemand van jullie Daud?' Er kwam geen antwoord. Integendeel, de stilte werd nog dichter, alsof ook de ademhalingen werden ingehouden. Misschien om die eindeloze pauze te onderbreken hief de strijder de kalasjnikov die hij vasthield op en hij sloeg de kolf hard tegen een van de menselijke gedaanten, degene die het dichtst bij hem was. Het gejammer dat eruit voortkwam, werd overschreeuwd door zijn woedende stem: 'Geef antwoord, viezeriken, geef antwoord, zei ik!'

Sernior draaide zich met een ruk naar de bewaker om, die bleef schreeuwen, en hij gaf hem een flinke duw met twee open handen: 'Je bent een beest,' zei hij hem, terwijl de man, onverwachts getroffen, op de grond rolde. 'Je bent een beest!'

Bij het opstaan probeerde de bewaker boos te reageren. Daarbij deed hij alsof hij zijn wapen op Sernior richtte, maar hij zag er snel van af door de autoritaire, vastberaden blik van Sernior. In het vertrek werd alles weer doodstil zoals voor het gevecht tussen de twee talibanstrijders. Gebaren, geschreeuw en gejammer zonken weg in de doffe duisternis die het vertrek vulde. Ditmaal herhaalde Sernior de vraag: 'Is hier iemand die Daud heet?' Maar weer verroerde niemand zich.

'Grootvader, ik ben het, Kualid, we zijn gekomen om je hier weg te halen. Ben je daar grootvader?' De stem van de jongen, scherper geworden door een wanhopige trilling, doorbrak de stilte die weer dichter geworden was. Achter in de cel stond een van de vormeloze en opgerolde schaduwen langzaam op en nam de vorm aan van een man die, met kromme schouders, wankelmoedig richting de groep bij de deur begon te lopen.

'Ik ben Daud,' zei hij heel zacht en met gebogen hoofd toen hij voor Sernior verscheen.

'Grootvader,' riep Kualid uit en hij omhelsde de oude man ter hoogte van zijn middel. Hij had het idee dat hij een dorre boomstam omhelsde, omdat zijn grootvader op geen enkele manier op zijn omklemming reageerde. 'Ik ben Daud,' herhaalde hij als enige fluisterend tegen Sernior.

'Goed, Daud, we gaan hier weg,' zei Sernior met een rustige stem. 'Volg ons alsjeblieft.'

Terwijl ze in tegenovergestelde richting door de donkere gang liepen, pakte Kualid zijn grootvaders hand. De oude man liep met langzame stappen, een beetje achter de rest van de groep. Bij de omhelzing had zijn grootvaders lichaam als een boomstam gevoeld, maar zijn hand leek wel een afgebroken tak. Kualid hield hem in de zijne, maar hij voelde koud en onbeweeglijk aan, zijn gevoelloze vingers reageerden niet op die van hem.

Naast hem gezeten op de achterbank van de pick-up die van de gevangenis wegreed, bekeek Kualid de oude man in de hoop dat hij iets zou zeggen, dat hij in elk geval een gebaar zou maken dat hem zou wakker schudden uit de onbeweeglijkheid waarin hij gehuld leek, zoals in de vieze deken die hij om zijn schouders droeg. Daud had zich geen enkele keer omgedraaid naar het naargeestige complex van Pul-i-Charkhi, dat langzaam verdween alsof het werd opgenomen door de verre bergen, dreigend op de lijn van de horizon. Pas toen ze de laatste puinhopen van de buitenwijken van Kabul achter zich hadden gelaten en de pick-up heen en weer slingerend over de onverharde weg die naar huis voerde begon te klimmen, liet de oude man zijn hand uit de plooien van de deken glijden. Zonder naar hem te kijken zocht hij die van Kualid en eindelijk hield hij hem in de zijne vast zonder hem nog los te laten.

'Ik dacht dat je besloten had me in de steek te laten en me al het werk alleen te laten doen.' Babrak was een van de wolken met ogen op de muur van de kinderafdeling van het ziekenhuis bleekroze aan het verven toen hij zich met een ironische barse blik naar Kualid omdraaide.

'Ik had het druk,' antwoordde de jongen droog op die expliciete vraag.

De kalligraaf wist wat er die dagen ervoor was gebeurd en begreep meteen dat Kualid geen zin had om te praten. Daarom antwoordde hij met een opzettelijk overdreven toon: 'Hij had het druk, de jongen. Moet je dat muisje horen! Ik had het druk,' herhaalde hij terwijl hij Kualids stem parodieerde, 'en ik hier maar werken voor twee! Je verdient een flinke schop onder je kont, maar nee hoor, moet je eens kijken…' Met een overduidelijk gebaar wees hij de jongen de muur aan waarop een drukke hemel was getekend. De blauwe achtergrond, de roze of grijze wolken, de bonte vogels, elke figuur was ingekleurd. Allemaal, behalve eentje: de vlieger was nog niet ingekleurd. 'Je zult toch wat moeten doen,' hervatte de kalligraaf, terwijl hij net deed of het hem niet kon schelen. 'Ik had gedacht dat jij die wel kon inkleuren.' Kualid was sprakeloos. Hij had de verf gemengd om kleuren voor Babrak te maken en aan hem te geven. Hij had de penselen en wat verfdruppels die op de grond waren gevallen schoongemaakt. Maar de kalligraaf had hem nog nooit gevraagd om de figuren op de muur te verven. En dan uitgerekend de vlieger, een van de tekeningen die hij het mooist vond. Hij keek er met grote ogen naar, onbeweeglijk en in stilte, alsof hij hem met zijn blik kon verven. 'Nou?' drong Babrak aan terwijl hij een glimlach verborg. 'Ga je aan het werk of niet? Of heb je het vandaag ook druk?'

'In welke kleur moet ik hem schilderen?' antwoordde Kualid hem verlegen.

'Bij Allah!' antwoordde de kalligraaf, een toon van verbaasde verontwaardiging veinzend. 'Dit soort vragen hoort een schilder niet te stellen. Als jij een tekening schildert, dan bepaal jij de kleur.' Daarna wierp hij een blik op de muur met de zee en het felle blauw. 'Hoewel er soms,' mompelde hij, 'een of andere buitenlandse dokter komt die beweert dat hij het beter weet.'

Kualid barstte in lachen uit.

'Goed, ik moet naar de winkel om wat zaken af te handelen,' zei Babrak vlak daarna. 'Maar ik kom terug om te controleren wat je ervan hebt gemaakt.' Hij gaf de jongen geen tijd om te antwoorden en ging er met snelle pas vandoor, alsof hij echt haast had om zijn atelier te bereiken. Hij wilde dat Kualid in zijn eentje van zijn moment zou genieten, zonder dat zijn aanwezigheid hem in verlegenheid zou brengen.

De hand van de jongen trilde een beetje terwijl hij met zijn vingers het penseel vasthield. In het kommetje had hij al wit en geel gemengd, maar de kleur die eruit voortgekomen was, leek hem te vaal. Nu liet hij van de haartjes van het penseel een paar druppels vermiljoen in het mengsel druipen. De eerste die viel, bleef zo liggen, duidelijk en rond als het oog van de Draak van Charkh. Ik moet er niet te veel rood bij doen, dacht Kualid, slechts een beetje om dit bleekgeel wat warmer te maken. Hij liet nog twee of drie druppels verf in het kommetje vallen en begon daarna, nadat hij het penseel met een doek had schoongemaakt, de verf te mengen. De vlekken vermiljoen werden eerst langer, de fluwelige golven volgend die de ronddraaiende bewegingen van het penseel het mengsel gaven, daarna gingen ze erin op en verdwenen ze, maar niet voordat ze hun eigen levendigheid hadden gegeven.

Toen Babrak terugkwam, stond hij met zijn handen in zijn zij voor de muur met de hemel de geverfde vlieger te bekijken. Kualid bekeek hem nog intenser. Hij kon de ongerustheid waarmee hij wachtte tot de kalligraaf het werk beoordeelde dat hij net had afgemaakt maar nauwelijks bedwingen. Hij bleef het nog natte penseel met zijn vingers ronddraaien om die afwezigheid van woorden, die Babrak juist expres liet voortduren om de fantasie van de jongen meer tijd te geven, te kunnen verdragen.

'Hmm, voor mijn gevoel heb je het heel goed gedaan. De kleur gaat niet over de randen heen, hij is goed en gelijkmatig aangebracht…'

Kualid voelde zijn opwinding stijgen; het gevoel begon bij zijn tenen en tintelde langs zijn benen, maar het wachten op het eindoordeel verhinderde hem om te bewegen.

'Mooi, ja, echt heel mooi,' ging Babrak verder. 'Ik vind dat goudgeel dat je hebt gekozen mooi. Het schittert als de vlieger van strootjes die jij en ik kennen,' sloot hij met een samenzweerderige glimlach af. De glimlach van de kalligraaf smolt samen met die van Kualid zoals de rode vlekken in de andere kleuren in het kommetje verf waren opgelost.

'Grootvader, Babrak heeft de kar en een groot deel van de koopwaar in veiligheid gebracht.' Sinds de kalligraaf Kualid naar een binnenplaatsje achter zijn winkel had geleid en hem de kar van zijn grootvader met de balen tweedehandskleding had laten zien, brandde de jongen van verlangen om naar huis te rennen om het goede nieuws aan de oude man te vertellen.

Na de gebedstijd was het gerucht van wat de oude man en het jongetje was overkomen fluisterend maar razendsnel rondgegaan. Kharachi had het met zijn karretje naar Babraks oor gebracht. De kalligraaf was meteen naar de bazaar gerend, bezorgd om Kualid, maar had hem niet gevonden. Hij had wel de kar en de achtergelaten balen aangetroffen, en hij had er goed aan gedaan om ze in zijn winkel in veiligheid te brengen voordat een of andere aasgier alles zou stelen.

'Grootvader, Babrak heeft gezegd dat we de koopwaar kunnen ophalen wanneer we maar willen...' In Kualids stem begon een vleugje teleurstelling door te klinken. Hij had zich voorgesteld dat zijn grootvader bij dat nieuws zou juichen, maar het was of de oude man het niet eens hoorde. Hij zat daar maar, gehurkt voor de ingang van het huis, met zijn ogen halfgesloten en zijn handen in zijn schoot. Zo deed hij sinds hij naar huis was teruggekeerd. Hij sliep, hij stond op, hij dronk zijn thee niet eens op, daarna ging hij buiten zitten en verroerde zich niet meer tot zonsondergang. Vaak bracht moeder daar zijn rijst en vlees, als ze die had, en de kom bleef maar al te vaak bijna vol en het eten koelde af, omdat hij maar heel weinig gegeten had.

'Maar grootvader, je hebt het niet begrepen,' drong Kualid met nog meer enthousiasme aan. 'We kunnen weer kleren op de bazaar gaan verkopen, we moeten de kar gaan ophalen.'

'We gaan erheen, Kualid, als Allah het wil, we gaan erheen.' De oude man had hem eindelijk geantwoord, met een vermoeide, vlakke stem, maar zonder zich ook maar om te draaien om naar hem te kijken.

Er gingen niet veel dagen voorbij voordat er van het in rijst gekookte vlees slechts een herinnering restte. De kalligraaf gaf steeds vaker fooien aan Kualid, maar dat was zeker niet genoeg om de familie te onderhouden.

In de winter viel de avond vroeg in en er was vaak niet eens voldoende olie om de lamp aan te steken, laat staan om het oude kerosinekacheltje te laten branden. Er was nog geen sneeuw gevallen, maar er heerste al een snijdende kou. De kou zorgde, na de rillingen, voor een stijfheid terwijl de vroeg invallende duisternis de vertroostende slaap met zich meebracht en in elk geval de dagen korter maakte.

Kualid was nog te klein om zijn grootvaders kar alleen te kunnen trekken. Dus hij was begonnen met uit de balen die achter in de winkel van Babrak bewaard werden de kleren te pakken die hij in zijn armen kon vervoeren. Hij bracht ze naar de bazaar en daar stalde hij ze op de grond uit, door ze in hoopjes op een plastic zeil neer te leggen zodat ze niet vies werden. Hij was niet zo goed in onderhandelen als zijn grootvader. Hij had wel eens geprobeerd het verhaal te vertellen over de rijke familie die moest vertrekken, hij had het zo vaak van de oude man gehoord wanneer hij met hem meeging naar de markt dat hij het uit zijn hoofd kende, maar er ontstond geen enkel groepje nieuwsgierigen, sterker nog, de mogelijke koper ging in de meeste gevallen lachend of hoofdschuddend weg. Kualid had er dan ook snel van afgezien om verhalen te vertellen en zijn onderhandelingen beperkten zich tot het noemen van een hoger bedrag dan wat hem door de klant werd voorgesteld, om het direct weer te verlagen als die deed alsof hij wegging.

Het weinige geld dat hij aan het eind van de dag bij elkaar had kunnen scharrelen, diende om de grote ellende waarin ze waren vervallen sinds grootvader alle activiteiten had gestaakt te verlichten. Met dat geld kon zijn moeder een stuk vlees, een fles olie, iets om verder te leven kopen.

Wanneer ze boodschappen moest doen, ging zijn moeder met hem mee naar de bazaar, en omdat vrouwen niet alleen mochten rondlopen, bleef ze bij de jongen en hielp ze hem de weinige waar te verkopen. Kualid was blij dat zijn moeder met hem meeging, want bij die gelegenheden onderhandelde zij met de vrouwen en het lukte haar altijd een hogere prijs voor elkaar te krijgen dan hij. Hem namen de vrouwen nooit serieus. Ook al kon hij ze niet in hun gezicht kijken, hij voelde hoe ze onder hun sluier grinnikten wanneer hij zich als ervaren koopman voordeed, en het eindigde er altijd mee dat hij hen uit schaamte en woede de koopwaar voor weinig geld liet meenemen.

Ook die dag was zijn moeder bij hem. Ze zaten gehurkt naast het plastic zeil met de hoopjes tweedehandskleding. Het leek bijna of de stroom mensen die de bazaar verlevendigde hen meed. Niemand was nog gestopt om hun spullen te bekijken.

Kualid maakte gebruik van die gedwongen pauze om zijn moeder de vraag te stellen die hij al heel vaak had willen stellen, maar die hij altijd voor zich uit had geschoven uit schaamte om de lange stiltes waaraan ze hem had laten wennen aan te tasten. 'Mama, wat is er met grootvader aan de hand? Waarom zit hij bijna altijd doodstil voor de ingang van het huis?'

Kualid zag de dichte wand van de sluier die zijn moeders gezicht bedekte naar hem toe draaien en hij stelde zich de weemoedige blik voor die ze hem toewierp.

Na een ogenblik waarin de vrouw leek na te denken hoorde hij haar stem aandachtig antwoorden: 'Hij wacht, Kualid, grootvader is aan het wachten.'

De jongen begreep het niet. Hij wilde net vragen: 'Waar wacht hij op, mama, waar wacht grootvader op?' maar hij hield zich in omdat het gaas van de sluier die zijn moeders ogen bedekte verdwenen was, opgeslokt tussen de plooien van de boerka, een teken dat zij haar blik al had afgewend.

E en tijd later dacht hij verstrooid weer aan die zin van zijn moeder terwijl hij naar de stad afdaalde om naar Babrak te gaan. Hij was in gedachten verzonken en bezorgd, omdat de balen tweedehandskleding langzaamaan waren geslonken tot nog maar een paar hoopjes.

Hij keek naar zijn voeten en wierp daardoor slechts puur toevallig een blik op de open plek van de begraafplaats toen hij er langsliep.

Toen moest hij ineens aan de kar van zijn grootvader denken. Uiteindelijk was het Babrak geweest die hem tot het huis van de jongen had getrokken en daarna tot aan de begraafplaats, met de kist die het lichaam van de oude man bevatte erbovenop.

Grootvader wachtte op de dood, dacht hij en hij hield zijn blik even stil op een van de groene vlaggen op de graven van de martelaren die de wind lichtjes in beweging bracht.

Misschien was het het gekleurde vod dat lui wapperde dat hem het beeld ingaf van de vlieger die hij in een oude doos had verstopt, achter het huis, onder een stapel droog hout.

De kalligraaf had de belofte gehouden die hij had gedaan voordat ze in het ziekenhuis de figuren gingen schilderen: hij had een vlieger voor Kualid gemaakt.

De jongen herinnerde zich wanneer hij hem had gegeven, op een avond, na het werk.

Het was een ruit van dun papier, op twee gekruiste stokjes gespannen. Geel, goudgeel, en de kalligraaf had er twee grote ronde ogen voor hem op getekend. Kualid had hem met een snel kloppend hart mee naar huis genomen. Hij had hem in een van de tweedehandskledingstukken gewikkeld, om hem aan het zicht te onttrekken. Hij liep ermee onder zijn arm en lette op dat hij niet te hard drukte uit angst om dat zo kwetsbare voorwerp kapot te maken, maar hij hield het met zijn vingers stevig aan een van de randen vast, alsof de vlieger hem onverwachts kon ontglippen en zou kunnen wegvliegen.

Daarna had zijn grootvader hem geholpen hem te verstoppen. Grootvader werd steeds magerder en stiller, alsof iets hem van binnenuit opzoog. Nu hij er weer over nadacht, leek het hem het laatste wat hij hem had zien doen. Thuis, wanneer zijn moeder haar gezicht onbedekt had, had Kualid elke dag een gelaten ongerustheid in haar ogen zien groeien, en ook hij had er na een tijdje van afgezien om de hardnekkige passiviteit van de oude man met vragen en praatjes te proberen in beweging te brengen.

'De vrede zij met je, Kualid.'

De groet van de invalide trof hem zoals altijd onverwachts en haalde hem uit zijn gedachten.

'Met jou zij de vrede, Kharachi.'

Kualid bood hem al een hele tijd geen brood of kleine bankbiljetten meer aan, maar wanneer Kharachi op zijn karretje opdook, wie weet waar vandaan, dan groette hij de jongen altijd. Sterker nog, inmiddels richtte hij zich als een volwassene tot hem, zonder speelse woorden.

Het was Kualid opgevallen en het vervulde hem met trots.

Hij voelde in zijn zak om iets te zoeken, maar toen hij zijn hand eruit haalde, was Kharachi al vertrokken, waarmee hij hem het ongemak bespaarde van iemand die niets in zijn zak heeft gevonden.

H et was een vrij heldere nacht. Het witte licht dat in de kamer naar binnen filterde, leek ook een bijtende kou met zich mee te brengen die Kualid verhinderde weer in slaap te komen.

De oude kachel had de laatste druppels kerosine verbruikt en van de gematigde warmte die hij had verspreid, restte slechts de scherpe geur, vol verbrande brandstof.

De jongen lag op zijn matje, in twee dekens gehuld die ook zijn hoofd bedekten. Hij zag hoe de condens van zijn eigen adem zich in de lucht vormde en oploste.

Zijn oog viel op de muur waar de slang van de nacht had gestaan. De schaduw van de theepot werd er door een straal van de maan op geprojecteerd, maar hij ging op in de vormeloze vlek van de nu uitgeveegde tekening en nam niet meer de contouren van Asmar aan. Kualid keek er zonder belangstelling naar.

Hij dacht aan niets en de stilte van zijn geest leek weerspiegeld te worden in de stilte waarin de nacht gehuld was. Hij hoorde het doffe gedreun dat in zijn oren weerklonk en uit het dal tegen de bergwanden werd weerkaatst dus bijna niet.

Hij hoorde plonzen die elkaar opvolgden en in elkaar overgingen, en ook een onregelmatig geknetter, dat leek op het geluid dat dor hout maakt wanneer het brandt. De kou die het hem moeilijk maakte om de slaap weer te vatten had hem verstijfd. Zijn gewrichten voelden stram en hij moest behoorlijk wat moeite doen om op te staan en naar buiten te gaan om te kijken wat er aan de hand was. De duisternis, waardoor de stad daaronder elke nacht beheerst werd, scheen deze keer niet zo eenvormig. Het was alsof in een versteende zwarte lavastroom een barst was ontstaan, waaruit gloeiend magma spoot.

Daaronder, in de buurt van het vliegveld, zag Kualid een roodachtige gloed flikkeren. Nu en dan verlichtten onverwachte flitsen slechts een ogenblik de omvangrijke kringels van grote rookwolken, die om zichzelf heen leken te kronkelen en dan weer zwaar omlaag vielen. De jongen bleef roerloos naar dat fascinerende schouwspel staan kijken zonder het te begrijpen, tot hij de aanwezigheid van zijn moeder naast zich waarnam. De vrouw had haar sluier omhoog gedaan en keek aandachtig in dezelfde richting als haar zoon. Enkele van die verre schijnsels leken zich op haar gezicht te reflecteren en er, met een spel van licht en schaduw, de uitgesproken jukbeenderen van te accentueren. Kualid draaide zich om om haar in haar gezicht te kijken. Hij had het idee dat zijn moeders blik nog verder ging dan het vliegveld in de vlammen, alsof ze niet naar het vliegveld keek maar naar een nog verder gelegen herinnering. En het leek hem of haar stem van die verre afstand kwam. 'De oorlog is weer dichtbij,' zei de vrouw. 'Hij heeft ook de stad bereikt.'

Daarna bracht ze haar sluier over haar gezicht omlaag, alsof ze een doek tussen haar en wat ze had gezien liet vallen. Ze legde een hand in Kualids nek en de jongen liet zich door die gedecideerde liefkozing naar huis voeren.

Die ochtend groette Kharachi hem niet. Kualid kwam hem tegen op de hoek van een steeg die uitkomt op de brede weg die naar buiten Kabul voert.

De invalide had hem niet eens gezien, omdat hij met zijn hoofd omhoog gericht de vrachtwagens bekeek die de stad verlieten op weg naar het front, met de aanhangwagens afgeladen met gewapende strijders. De jongen liep langs hem en hoorde dat hij een hoestbui kreeg toen hij werd aangevallen door een uit een uitlaat ontsnapte zware rookwolk. Zodra de militaire vrachtwagens van de rijbaan verdwenen waren, werd hij meteen overspoeld door een stille menigte, die uit het niets leek op te duiken, in een ongeregeld verkeer van propvolle oude bestelbusjes en karren vol met schamele huisraad. Sommigen duwden zware fietsen met de hand en ook die waren volbeladen.

Op weg naar het centrum, naar de winkel van de kalligraaf, moest Kualid die stroom die in tegenovergestelde richting als hijzelf ging doorklieven. Hij draaide zich voortdurend om, nu eens door dit en dan weer door dat detail aangetrokken en nieuwsgierig geworden. Hij was verbaasd en verdoofd door die uittocht die hem het ene moment overspoelde, hem duwde en aan hem trok, en het andere moment naar de rand van de weg dwong, zodat hij zich moest platdrukken tegen een muur wanneer het aanmatigende geluid van de claxon van een pick-up met verduisterde ramen de stroom mensen doorbrak en zich op oorverdovende wijze een weg baande.

'Wat doe je hier, jongen?'

De vraag van Babrak overviel hem.

Toen het hem eindelijk gelukt was de winkel van de kalligraaf te bereiken, was Kualid hogelijk verbaasd dat hij hem buiten adem aantrof, bezig een opgerold matras op een kar te laden, tussen de kisten met verfblikken en de houten schraagtafel.

'Vannacht,' ging Babrak verder, 'hebben de helikopters van de moedjahedien uit het noorden het vliegveld gebombardeerd. Kijk, het rookt er nog van de branden.'

Toen hij met zijn blik het punt dat de kalligraaf hem aanwees volgende, zag Kualid de zwarte wolk die naar de hemel opsteeg. De wolk verspreidde zich en vervloeide in de lucht, die was gevuld met het woestijnstof dat werd meegevoerd door de zuidenwind die inmiddels was opgestoken, als om de stad te beschermen tegen de dreiging die erboven hing door hem met een laag stof te bedekken.

'Ik ga weg, Kualid, ik ga weg zolang het nog kan. Ze zeggen dat de moedjahedien uit het noorden zich na de moord op Massoud bij de Amerikanen hebben aangesloten en dat Kabul snel weer zal worden aangevallen. Hier blijven is niet veilig. Ga ook weg, met je moeder. Ga weg als jullie kunnen!'

Kualid had naar de woorden van de kalligraaf geluisterd en er niet meer dan de helft van begrepen. Er was altijd oorlog geweest. Waarom dan nu al die onrust? Hij bleef daar verstard staan kijken naar Babrak, die zijn voorbereidingen afmaakte, zonder ook maar de kracht te vinden om hem te helpen de spullen op de kar te laden. De kalligraaf haalde zijn haar niet door de war zoals hij gewoonlijk deed. Deze keer boog hij voorover en pakte hij zijn schouders stevig met zijn handen vast. 'Nu moet ik gaan,' zei hij en hij keek hem in zijn ogen. 'Vaarwel, vaarwel jongen, de vrede zij met je.'

Kualid voelde een brok in zijn keel, een strop die hem verhinderde de groet van zijn vriend te beantwoorden. Pas toen de kalligraaf al op weg was, terwijl hij de kar duwde, kwamen de woorden er in een stortvloed uit: 'En de doos met tekeningen?' riep hij.

'De doos is verborgen op ons plekje,' antwoordde Babrak zonder zich om te draaien om naar hem te kijken. 'Je mag ze hebben als je wilt. Als Allah het wil, kun je ze op een dag pakken.'

Hoewel hij hem niet meer kon zien, bracht Kualid een hand naar zijn borst en hief hij zijn andere arm naar hem op. 'De vrede zij met je,' fluisterde hij terwijl hij Babrak in de menigte zag verdwijnen.

De bazaar was even druk als altijd. Kualid zat op zijn hurken bij het plastic zeil met de laatste spullen om te verkopen en bedacht dat de stad niet zo leeg was als je zou denken bij de aanblik van de groepjes vluchtelingen die Kabul de dagen ervoor hadden verlaten. De zwarte rook rond het vliegveld was verdwenen en ook de nevel van door de wind meegebracht stof werd dunner.

Nog een paar dagen en dan keert Babrak terug naar

zijn winkel, dacht de jongen, die, gerustgesteld doordat alles weer normaal leek, een zeker optimisme voelde opkomen. Vergezeld door haar man kocht een vrouw met een kind een roze pluche pakje bij hem, en ze trok het haar zoontje direct aan om hem tegen de kou te beschermen. Het was komisch om haar te zien weglopen met haar kind aan de hand, dat nu met een pompon op zijn billen pronkte. Het pakje, door iemands onoplettende liefdadigheid in een zak voor de derdewereldlanden gestopt, was eigenlijk een carnavalskostuum en was via de ingewikkelde routes van de zwarte markt uiteindelijk op het plastic zeil van Kualid beland.

Vrijwel dagelijks keerde de jongen naar de winkel van de kalligraaf terug om de laatste tweedehandskleding op te halen, maar vooral omdat hij hoopte dat Babrak teruggekeerd zou zijn.

Toen hij hem voor de laatste keer gedag gezegd had, was de kalligraaf weggegaan zonder zich ook maar te bekommeren om de openstaande deur van de winkel. Kualid stond ervoor, hij keek ernaar terwijl hij zachtjes klapperde, door een windvlaag in beweging gebracht. Net als de dag ervoor, en die daarvoor, was de winkel leeg.

De jongen ging niet naar binnen, om de teleurstelling te voorkomen die hem als een mes doorkliefde wanneer hij wederom ontdekte dat zijn hoop ijdele hoop was gebleken. Hij hief zijn blik naar de hemel wanneer hij een laag, nauwelijks waarneembaar geronk van ver dacht te horen aankomen. Zijn ogen met zijn hand afschermend om zich tegen het licht van die heldere dag aan het begin van de winter te beschermen, tuurde hij naar het punt vanwaar hij het geluid meende te horen, maar behalve het intense blauw zag hij niks. Pas toen hij zijn hoofd omdraaide, nog steeds omhoogkijkend, merkte hij de witte strepen op die de eenvormigheid van het hemelgewelf als krassen doorbraken. Ze leken uit zichzelf te ontstaan, parallel aan elkaar, in koppels van twee werden ze langer. Er ontstonden er nog meer, op een afstandje van de eerste, en het geronk kwam later, alsof ze het achter zich lieten en het rollend naar beneden viel.

Eventjes kon hij vóór vier van die stralend witte strepen het metaalachtige schijnsel van een zonnestraal zien die de koers van een vliegend voorwerp had gekruist. Het was slechts een lichtpuntje, heel ver weg.

Kualid kon zijn ogen niet afhouden van dat vreemde, prachtige schouwspel dat de hemel hem bood.

Het kabaal van het eerste gedreun verraste hem, als een klap midden in zijn gezicht.

Geschreeuw werd hoorbaar, direct overstemd door nog een dreun, en daarna kwamen er nog meer, sommige heel dichtbij en keihard, andere iets verder en doffer. Op de weg voor de winkel van de kalligraaf ontstond chaos. Mannen die als gekken renden. Anderen die juist als versteend stil bleven staan, met hun hoofd omhooggericht. Wanneer ze in de grote haast van de eersten werden aangestoten, begonnen zij op hun beurt te rennen, alsof ze plotseling weer bij zinnen gekomen waren. Karren werden midden op de rijbaan achtergelaten, net als de oude gele taxi's, met wijd open portieren die op open armen leken in een poging die vluchtende menigte tot stilstand te brengen. De vrouwen leken aangedreven te worden door een onstuimige wind die hun boerka's samen met hun onzichtbare ontzetting meesleurde. Een oude man smeet de zware fiets die hij vooruit trapte op de grond; in zijn haast struikelde hij over de wielen en viel hij met zijn gezicht plat op het beschadigde wegdek. Kualid keek verward om zich heen. Op veel punten van de stad zag hij hoge, dikke rookzuilen opstijgen. Ze waren eerst grijs maar namen beetje bij beetje de kleur van het zand aan. Ze waren zo dik dat ze stil leken te staan, als gigantische bomen die plotseling tussen de verwoeste bouwwerken tevoorschijn kwamen.

Stofwolken werden dichter en bewogen door de lucht, aangedreven door de wind, waardoor uitgestrekte mistgebieden ontstonden. Een ander soort mist dan die door de zuidenwinden werd meegevoerd: donkerder, dichter, meer afgebakend. Kualid werd in een draaikolk getrokken van het onverwachte, krachtige gewoel om hem heen. Het geschreeuw en de explosies bereikten zijn oren als gedempte geluiden en hij had het gevoel dat alles zich in slow motion bewoog.

De duw van een vrouw die in haar onstuimige vlucht tegen hem op botste, schudde hem wakker, en de angst kwam onverwachts, net als de explosies, de angst die door zijn verbazing tot dat moment in zijn borst zat opgesloten barstte ineens los.

Een stoot adrenaline stroomde door de ledematen van de jongen, waardoor hij wel moest bewegen.

De halfopen deur van de winkel van de kalligraaf leek Kualid uit te nodigen daarbinnen te gaan schuilen, in de vertrekken die hij goed kende en die hem een vertrouwde, warme bescherming leken te kunnen bieden. Kualid deed de deur verder open en haastte zich naar binnen. De rechthoeken licht die door de ramen zonder ruiten vielen, verlichtten de troosteloze leegte die er heerste. De houten bladen die op de schragen leunden, waren weg. De planken die eerst vol verfblikken stonden, waren op de grond gevallen. Een kommetje van wit plastic, vuil door de opgedroogde verf, was het enige wat Kualid nog herinnerde aan de dagen met penselen en kleuren die hij met Babrak had doorgebracht. Langzaam maakte zijn angst plaats voor melancholie en de jongen hurkte in een donker hoekje van het vertrek om zich te verstoppen voor de herinneringen die dwars door elkaar kwamen en hem achtervolgden.

H oewel de boerka haar volledig bedekte, herkende Kualid zijn moeder meteen in het silhouet van de vrouw die alleen door de straat rende die naar de stad leidde, in de richting van haar zoon die naar huis ging. Hij herkende haar niet zozeer aan de verschoten kleur van haar gewaad, dat net zo als duizenden andere was, maar aan hoe ze bewoog, op een unieke manier. Ook hij begon te rennen, naar haar toe. Al snel stonden ze roerloos tegenover elkaar.

De jongen nam zijn moeders blik waar die filterde door het dichte gaas dat haar ogen bedekte. Ze bestudeerde hem bezorgd van top tot teen om zich ervan te vergewissen dat hij ongedeerd was. Pas toen die zekerheid de verschrikkelijke beelden kon verdrijven die de angst om het lot van haar zoon had opgeroepen, boog ze voorover en omhelsde ze hem stevig, zonder een woord te zeggen. Kualid hoorde het ruisen van de stof van de boerka die zich in de omhelzing om hem heen wikkelde en verdween erin.

Elke dag weergalmde de echo van de explosies uit de stad.

Kualid zag de rookpluimen nu op de ene plek en dan weer op een andere opstijgen in de vlakte van Kabul. Overdag werden ze altijd aangekondigd door de lange witte strepen die de hemel bekrasten, maar 's nachts zag je die strepen niet, dus dan werd die waarschuwing alleen gegeven door het verre gerommel van de bommenwerpers op grote hoogte. In het donker weerkaatsten de rookzuilen een gloed die van binnenuit leek te komen en die ronde, bewegende schaduwen projecteerde in de kringels die langzaam opstegen.

Wanneer alles ophield, was er altijd een lange onderbreking van stilte voordat op de weg de stoet van pickups en militaire voertuigen begon die afdaalden of omhoog reden naar de talibanstelling op de top van de berg.

Soms kwamen er ook groepjes vluchtelingen voorbij, die met hun bundels her en der in de bergen een schuilplaats gingen zoeken.

Tussen hen zag Kualid een keer een man die aan een touw een grote dromedaris leidde die zwaarbelast was met huisraad. De lange hals van het dier verhief zich golvend tussen de kleine lopende mensenmassa. Naast de man liep een vrouw in een lichtblauwe boerka, waartegen de roze vlek van het pluche pakje afstak dat het kind in haar armen droeg.

Kualid zat op zijn hurken voor de ingang van zijn huis te kijken naar de stad die zich beneden in het dal uitstrekte. Hij voelde zich onweerstaanbaar aangetrokken tot de stad, alsof een draaikolk hem probeerde omlaag te zuigen in de richting van die uitgestrektheid vol oud en nieuw puin. Maar zijn moeder was onverbiddelijk. 'De oorlog heeft je vader al van me afgenomen, ik wil niet dat hij ook jou meeneemt,' had ze tegen hem gezegd, en in haar stem weerklonk een vastbeslotenheid die geen enkel argument had kunnen laten wankelen.

De jongen had op alle mogelijke manieren geprobeerd haar ervan te overtuigen dat het noodzakelijk was dat hij naar de stad ging. Het voedsel werd steeds schaarser; zijn moeder deed steeds minder ruilhandeltjes met de buren, omdat er na de kleren van grootvader en zijn gebedsmatje bijna niets meer te ruilen was. 'Zie je,' herhaalde de vrouw terwijl ze het kommetje aangaf met de portie gekookte rijst die elke dag minder werd. 'Ook vandaag hebben we iets te eten. De grote en genadige Allah helpt ons morgen ook.'

Kualid gaf geen antwoord. Hij keek naar zijn moeder, die met haar ogen omlaag gericht, kleine handjes rijst naar haar mond bracht; haar wangen waren steeds meer ingevallen en bewogen zich langzaam, om de rijst langer in haar mond te houden.

Hoe minder er te eten is, hoe langer de maaltijden duren, dacht Kualid terwijl hij met zijn vingers de laatste korrels pakte die op de bodem van het kommetje geplakt zaten.

D aarna was het alsof de vlakte waarop de stad zich uitstrekte de rook en vlammen waarmee hij gevuld was, uitspuugde en gloeiende spetters tot aan de berghellingen schoot. Kualid had de zwermen donkere puntjes die uit de met wit gestreepte hemel vielen – eerst dicht op elkaar, daarna meer uit elkaar, als dolgedraaide vluchten vogels – nog maar net gezien of overal waar hij maar keek waren de explosies begonnen. Een kort schot, nog een en nog een, nieuwe schoten sneller na elkaar, droog geknetter dat elkaar opvolgde om plotsklaps op te houden en direct daarna weer onverwachts te beginnen. Verdoofd door de explosies zag hij de rode, verblindende flitsen van de ontploffingen, vuurballen, als in de fik gestoken struiken, die gloeiende stenen en scherven projecteerden die zich eerst als sterren openden en daarna in een wolk van rook en stof doofden.

Er ontstonden voortdurend nieuwe explosies, alsof ze uit de grond gespuwd werden, daaronder, op de grote weg naar de stad en ook tussen de lage huizen van de kleine buurtschap waar Kualid woonde.

Zijn door de spanning verwijde neusgaten vulden zich met de zure geur van de verbrande explosieven en de rook die de lucht doordrong en zijn ogen liet tranen, waardoor hij de gedaanten van de buren die zich op de grond wierpen of wegrenden om beschutting in de kwetsbare bouwsels van modder te zoeken, trillend en onscherp waarnam.

Hij zag een van de huizen, niet heel ver van zijn eigen huis, in een wolk van aarde en stof instorten, een vorm met ronde contouren die langzaam in rook opging. Hij vervloog en onthulde verspreide hoopjes puin.

Hij gunde zich niet de tijd om te denken dat de huizen geen enkele bescherming konden vormen; zijn gedachte werd, alsof hij werd bestormd door de luchtverplaatsing van de explosie, richting zijn moeder afgeschoten. Hij haastte zich het huis in en vond haar: ze stond roerloos met haar rug tegen een muur, haar handpalmen tegen het oppervlak van de muur als om de stevigheid ervan te testen.

'Mama, we moeten hier weg,' schreeuwde Kualid haar met alle lucht die hij in zijn longen had toe, zodat het lawaai van de ontploffingen zijn stem niet overstemde en ook om zijn moeder uit die onbeweeglijkheid te rukken die haar aan de muur gekluisterd leek te houden.

De vrouw had een onbedekt gezicht. Ze staarde Kualid aan alsof ze het niet begreep, alsof ze hem niet eens herkend had.

Met een sprong ging de jongen op haar af. Hij pakte haar bij een arm, trok haar naar zich toe en sleepte haar rennend naar buiten. Zijn moeder bood geen enkel verzet, met haar arm vrijwel slap tussen Kualids vingers die hem stevig vasthielden, liet ze zich door haar rennende zoon leiden.

Voordat ze bij het stalen karkas van de oude Russische tank waren, verbaasde Kualid zich heel even over hoe licht zijn moeder was geworden, want het had hem geen enkele inspanning gekost om haar mee te sleuren.

Licht als de stof van haar boerka, dacht hij, terwijl hij haar gadesloeg toen ze gehurkt naast elkaar zaten tegen de grote, verroeste ijzeren wielen en de gebroken rupsband van de tank. In die houding leek ze echt klein, alsof haar lichaam van de wind was gemaakt die de stof van de boerka deed golven.

Kualid stond als eerste van de twee op. De klappen van de explosies waren al een tijdje opgehouden. Er waren geen stemmen hoorbaar, maar enkele gedaanten bewogen zich traag tussen de stil hangende wolken stof en rook. Het enige hoorbare was het geknetter van de vlammen die de houten planken van de deur van een nu verwoest huis opbrandden. Van andere huizen restten enkel lage zuilen van droge modder, omgeven door hopen puin. Uit een daarvan stak een piepklein voetje, een kindervoetje, met de vuile voetzool omhooggericht.

Kualid zag het niet, zijn aandacht werd getrokken door het felle geel van een voorwerp dat tussen de grijze kiezelstenen opviel.

Het lag niet ver weg. Hij zette een paar stappen en liep erop af. Het was een niet zo grote langwerpige koker. Op het geel zag hij wat opschriften in vreemde karakters, en cijfers. Hij dacht niet dat die koker op de een of andere manier verband hield met de verwoesting om hem heen, hij leek onschadelijk, onschuldig.

Hij boog al voorover om hem op te pakken toen de stem van zijn moeder hem bereikte. Ook zij was opgestaan en had haar schuilplaats achter de tank verlaten. 'Nu gaan we terug naar huis,' zei ze, alsof alles wat er net gebeurd was niet meer dan een klein ongemak was dat de dagelijkse routine had onderbroken.

Kualid draaide zich naar haar om, ze had haar sluier weer over haar gezicht laten zakken, en hij liep naar haar terug, de gele cilinder tussen de stenen achterlatend.

Die nacht hoorde hij wanhoopskreten van buiten komen. Het was een stem van een vrouw die jammerde, bad, af en toe een schelle schreeuw slaakte en dan zweeg. Kualid stelde zich iemand voor die een gekwelde weduwe of een moeder probeerde te troosten. Het gegil verbrak de stilte van de nacht en moest dus vlakbij zijn.

Iets verder weg begonnen een paar honden te blaffen. Ze leken die eenzame kreten te beantwoorden die met onregelmatige tussenpozen onderbroken werden en daarna weer begonnen te echoën, steeds zwakker en korter. Kualid hoorde ze pas niet meer toen de slaap hem overviel, zwaar en onverwachts.

De weg die naar de stad leidde, was verwoest. Enorme gaten openden zich hier en daar in het wegdek vol stenen. Toen hij er langsliep, wierp Kualid een blik op de kleine begraafplaats. Ook die was geraakt. Sommige stenen stonden nog overeind, als messen in de grond gestoken, maar andere waren er door de explosies uitgerukt en lagen plat op de grond tussen de omgewoelde aarde, alsof ook de doden die er begraven waren hadden geprobeerd op de vlucht te slaan.

Nu er niet eens meer een handje rijst over was, had de jongen zijn moeder overgehaald om hem naar de stad te laten gaan, waar hij hoopte iets te eten te zullen vinden. Hij had zijn moeder, die op de drempel van het huis gehurkt zat, gedag gezegd, wetend dat hij haar bij terugkomst daar weer zou aantreffen, in dezelfde houding.

Onder het lopen tuurde hij af en toe naar de hemel, in de angst de witte strepen te zien verschijnen. De dag ervoor waren de bombardementen op de stad bijzonder hevig geweest en nu hoopte hij dat er een onderbreking was of in elk geval dat de aanvallen wat langzamer kwamen, alsof ook de oorlog het af en toe nodig had om op adem te komen.

Hij kwam aan bij de eerste buitenwijk van de stad en

merkte dat het landschap veranderd was. Hij herkende het punt waar hij aangekomen was nauwelijks en had moeite zich te oriënteren. Bij de half verwoeste krotten die hij goed kende, was nieuw puin gekomen, en veel van de oude krotten waren nu volledig ingestort. De recente verwoestingen onderscheidden zich van de andere die hem door de jaren heen vertrouwd en bekend waren geworden. Over het algemeen waren er enorme gaten die de grond in stukken scheurden en die de afstand tussen de groepjes huizen vergrootten. Aan de randen van die gaten hoopten zich bergen puin in alle soorten en maten op: grote en piepkleine blokken droge modder die muren waren geweest, vodden, stroken verwrongen staalplaat, stukken verbrand hout, stof. Kualid bleef staan en keek naar de gedaanten van mannen en vrouwen die tussen de hopen puin rondliepen; andere zaten gebukt met hun handen tussen het puin te graven. Een man trok een voorwerp tevoorschijn dat begraven was tussen de modder, hij trok het omhoog door het met twee handen aan een rand vast te houden. Hij bekeek het even en gooide het toen weg. Het voorwerp gleed omlaag langs de schuine wand van puin en kwam bijna voor Kualids voeten tot stilstand. Het was een houten rechthoek met vier wielen aan de zijkanten. Kualid herkende het meteen: het was het karretje van Kharachi. Hij voelde een rilling over zijn rug lopen terwijl hij een van de wielen van het karretje bekeek dat nog in de lucht draaide. Hij had het idee dat het bewegende wiel een beetje piepte, of misschien wel fluisterde.

Hij rukte zijn blik los van het karretje en liep weg. Hij versnelde zijn pas in de richting van de bazaar. Hij hield zijn hand in een van de zakken van het lange gewaad dat hij aanhad en klemde een verfrommeld bankbiljet in zijn vuist, alsof het hem van het ene op het andere moment kon ontglippen door de wind. Het was het laatste bankbiljet van het geld dat hij met de verkoop van de tweedehandskleding en de fooien van Babrak bij elkaar gescharreld had, dus moest hij het zo goed mogelijk besteden.

Op het plein van de bazaar leken de mensen zich in oploopjes op enige afstand van elkaar te verzamelen; kleine groepjes die bijeenkwamen en uit elkaar gingen om dan weer iets verderop samen te komen. Schimmen van vrouwen liepen rond met hun hand uit hun boerka gestoken, maar meestal was het het kind dat ze in hun armen droegen dat een hand voor hen uitstak en in zijn vingers een bakje of blikje hield. Er was niet veel te koop, het merendeel van de koopwaar lag op de grond uitgestald. Er waren heel weinig stalletjes en ze waren vrijwel leeg.

De bazaar leek niet meer op de bazaar die Kualid met zijn grootvader had bezocht. Hij was stiller. Niemand schreeuwde om de aandacht op zijn koopwaar te vestigen en zelfs in de groepjes werd zachtjes gepraat, zoals wanneer je je tussen de muren van een moskee bevindt. Zwarte klonters vliegen op twee stukken draderig schapenvlees die op een stuk stof waren uitgestald, de verkoper was het zat om ze met zijn hand weg te jagen, iets verderop twee tasjes van doorzichtig plastic vol met rijstkorrels, een paar mandarijnen in een kistje, een stuk of tien blikjes Pepsi-cola op een karretje.

Kualid liep op een groepje af dat zich rond een jongen had gevormd die maar iets ouder was dan hij.

De jongen verkocht vreemde gele plastic zakjes die Kualid onmiddellijk deden denken aan de koker van dezelfde kleur die hij direct na het bombardement tussen de stenen had zien liggen. Ook op deze stonden onbegrijpelijke opschriften en er stonden ook afbeeldingen op: naast een rechthoek met sterren en strepen stond het halve bovenlichaam van een glimlachend kind dat een lepel naar zijn mond bracht. De verkoper probeerde het groepje ervan te overtuigen dat zijn waar echt smakelijk was. 'Het is eten, lekker eten, Amerikaans,' zei hij, 'het zijn de zakjes hulpgoederen die ze met parachutes uit de vliegtuigen gooien, vol met dingen om te eten. We hebben ze gisteren op de weg naar Kapisa opgeraapt.' Maar niemand maakte aanstalten om er een te kopen. Hardnekkige en verstomde onthutsing tekenden zich af op de gezichten van de mensen om hem heen. Om zijn eigen woorden kracht bij te zetten en het wantrouwen van de anderen te overwinnen maakte de jongen er toen een open door met zijn tanden de bovenrand van het gele zakje open te scheuren. Hij haalde er een doorzichtig pakje uit dat iets bevatte wat Kualid droge koekjes leken, dat opende hij ook en hij begon luidruchtig op een van de biscuitjes te kauwen. Het bieden begon meteen. In het enthousiasme van de onderhandelingen spuugde de jongen kruimels en woorden uit zijn mond.

Kualid ging een beetje opzij staan. Hij staarde naar de kruimelregen die nu op de grond viel en dan weer op het gewaad van de jongen. In de heftigheid van de discussie kwamen sommige ook op de klant terecht. Hij probeerde zich de smaak voor te stellen en vond zichzelf een stommeling omdat hij de gele koker die hij tussen de stenen had zien liggen niet had opgeraapt.

Hij werd als door een golf meegesleurd door een kleine menigte mannen en vrouwen die over de weg renden. Hij gaf zich eraan over door zijn eigen tempo aan dat van de anderen aan te passen zonder de groep in te halen, want hij kende de bestemming niet. Hij voelde zijn opwinding stijgen, aangestoken door die van de mensen die om hem heen renden, terwijl flarden zinnen hem bereikten:', '... het voedseldepot', 'ja, ja', het is door een raket geraakt...', 'meel, er zijn zakken meel'.

Toen tussen nog meer puin aan het eind van de weg op een grote wegverbreding de berg puin verscheen van wat een depot van het internationale Rode Kruis was geweest, omgeven door een hoge muur die nu voor de helft was ingestort, viel de groep uiteen. Iedereen ging harder rennen voor zover zijn benen dat toestonden, de vrouwen bleven, belemmerd door hun lange boerka's, een beetje achter, net als de ouderen, die vanwege hun leeftijd langzamer gingen.

Op de hoop stenen waren mensen al uitzinnig met hun handen tussen de kalkbrokken aan het graven, weer andere renden weg met gescheurde zakken die een streep van wit stof achterlieten dat zich met dat van het puin mengde.

Hier en daar braken onverwachte en heftige vechtpartijen uit. Kualid zag een oude man die een zet kreeg van een ander, langs de berg puin omlaag rollen, weer opstaan en schreeuwend als een gek stenen naar hem gooien. Het was de enige stem die in die heksenketel te horen was, want de spanning van het zoeken naar het meel verhinderde de meesten te praten, zo geconcentreerd als ze waren om er zoveel mogelijk van te bemachtigen, op welke manier dan ook.

De jongen bleef aan de rand van de hoop stenen stilstaan, deels omdat hij verdoofd was door die chaos, deels omdat hij niet wist waar hij moest beginnen. Een vrouw rende struikelend tussen het puin de berg af, zijn kant op. In haar armen hield ze een zak stevig vast, alsof ze een zuigeling droeg.

De schoten kwamen net voor het geluid van het remmen van de pick-up van de taliban die in volle vaart was aangekomen. De strijders waren van de achterbak gesprongen en losten met hun kalasjnikovs korte salvo's in de lucht, terwijl ze zich naar de overvolle puinhopen begaven. Het tafereel leek stil te staan, alsof de onverwachte knallen alle gedaanten een fractie van een seconde hadden versteend in de houding waarin ze zich bevonden op het moment dat het schieten begon. Daarna begonnen de mensen alle kanten op te stuiven. Iedereen vluchtte een andere kant op. De vrouw die de zak als een kind aan haar borst hield, struikelde over een ijzeren betonstaaf die tussen de kalkbrokken uitstak en stortte neer op de berg puin als een lap die door de wind wordt opgetild en plotseling op de grond neervalt. De zak gleed langs de stenen omlaag, bijna tot aan Kualids voeten.

Gehurkt in de beschutting van een grote verroeste en half verwoeste container kon de jongen de braakneigingen die uit zijn keel opstegen maar amper bedwingen, zijn borstkas werd door een hevig hijgen heen en weer geschud en de misselijkheid maakte zijn zicht wazig. Hij had als een wanhopige gerend, hij wist zelf niet eens hoe lang, tot hij het geluid van de schoten dat hem achtervolgde van zich af had geschud; daarna had hij zich met het laatste zuchtje overgebleven energie uitgeput achter die container geworpen. Maar nu lag de zak daar, voor hem. Hij legde zijn handen er met open handpalmen op alsof hij door de zak te betasten pas zeker wist dat hij echt bestond. Op zijn huid voelde hij de ruwe stof, en direct daaronder de zachte consistentie van het meel. Zijn droge lippen vertrokken zich tot een glimlach.

In de dagen die volgden, gingen de bombardementen op de stad in een gestaag ritme door, maar het gebied waar Kualid woonde, werd niet meer geraakt.

Die dag leek het gerommel van de explosies die Kabul door elkaar schudden niet meer op te willen houden. Het bereikte Kualids oren als een voortdurend geluid, op de achtergrond, als een onweersbui die zich steeds blijft aankondigen maar waarvan geen spoortje te vinden is aan de heldere hemel, die alleen door witte strepen is doorkliefd. De jongen keek naar beneden, richting de vlakte, en zag dat de rookpluimen die in aantal toenamen, hoog opstegen en zich naar de hemel richtten en vervolgens weer zwaar op zichzelf vielen.

Hoewel de zak meel die hij van het depot van het Rode Kruis mee naar huis had weten te nemen bijna op was en slap en halfleeg in een hoek van het huis lag, was zijn moeder niet voor rede vatbaar geweest en had ze hem verboden naar de stad terug te gaan. Hij bracht zijn dagen dus door met het kijken naar het verschrikkelijke en zich steeds herhalende schouwspel van de vernietiging van Kabul. En ook al werd hij soms overvallen door een enorm verlangen dat hem ertoe aan kon zetten over de grote weg omlaag te rennen, richting de stad, op andere momenten was hij in een sluipende verveling gehuld, als in een cocon van stilzwijgende lusteloosheid.

Vlak voor zonsondergang, toen de zon al achter de bergen verdwenen was en de schaduw van de nacht het dal vulde, werd de echo van de verre explosies overstemd door het dreunende, haperende geluid van motoren die met moeite op de weg eronder vooruitkwamen.

Kualid rende langs de helling omlaag en bracht in zijn haast om de rand van de weg snel te bereiken in het voorbijgaan steentjes en kiezeltjes aan het rollen. Voor hem verscheen een wonderbaarlijke colonne voertuigen, afgeladen met strijders, die op weg waren naar de bergen. Het waren niet alleen pick-ups met verduisterde ramen of militaire vrachtwagens, er reed van alles: oude Volkswagenbestelbusjes, gele taxi's en zelfs een paar kapotte ambulances met een rode halvemaan op de zijkant geverfd. Tussen de rook uit de uitlaten en het stof gingen de voertuigen naast elkaar rijden en ze haalden elkaar om de beurt in, waarbij ze het uiterste vergden van de motoren. Tussen de hopen tulbanden en om lichamen gewikkelde dekens kon Kualid de gezichten van de taliban die in de laadbakken en voertuigen waren gepropt vaag onderscheiden. Ze gleden langs zijn ogen voorbij zonder hem de tijd te geven bij een gezicht stil te blijven staan. Maar ze hadden dezelfde, bijna eenvormige uitdrukking, alsof over alle gezichten een zweem somberheid en passieve woede liep, waardoor de verschillen uitgewist werden.

Hij moest onverwachts een sprong naar achteren maken op de steile rand van de weg om niet overreden te worden door een pick-up die slipte op de kiezels nadat hij een bestelbusje had ingehaald. De pick-up moest langzamer gaan rijden om weer op de rijbaan te komen. Het raampje van de cabine was open en Kualid kon het gezicht zien dat erdoor was omlijst. Het moment duurde maar eventjes, net genoeg om zijn evenwicht terug te vinden na de sprong naar achteren. Maar dat gezicht, daar was hij zeker van, was dat van Sernior.

'Sernior, Sernior...' Hij riep zijn naam en zwaaide tegelijkertijd met zijn armen, maar de pick-up was al opgegaan in het stof en de chaos.

Het verkeer nam af zonder ooit helemaal te stoppen: een vrachtwagen, een bestelbusje, er kwam altijd wel iets voorbij in het spoor van de eerste grote groep die gepasseerd was. Kualid maakte zich op om de helling weer te beklimmen en zag het silhouet van zijn moeder op de hoge rand staan. Ook zij had het verloop van die krankzinnige exodus vanachter het net van haar boerka gadegeslagen.

'Ze vluchten,' zei ze tegen Kualid toen de jongen bij haar aankwam. In haar stem klonk geen verdriet of voldoening, het was gewoon een koele constatering. Ze pakte Kualids hand vast en leidde hem het huis in, want in de tussentijd was het helemaal donker geworden en was het laatste zwakke lichtschijnsel van de hemel achter de bergen gedoofd.

Er was geen maan. Kualid lag op zijn matje met zijn ogen open in het duister van de kamer. Vanaf de weg bleven de geluiden van de vluchtende voertuigen komen, onderbroken door korte stiltes.

Misschien kon hij daarom de slaap niet vatten. Hij liet zijn verbeelding de beelden van de dag als op een onzichtbaar scherm in het donker projecteren: zijn eigen voeten die tijdens het rennen steentjes van de helling lieten rollen, het starre gezicht van Sernior op het moment dat hij hem had gezien, het silhouet van de gedaante van zijn moeder, stilstaand op de top van de helling. Hij bekeek die beelden, die elkaar willekeurig opvolgden, afwezig, alsof ze al niet meer bij zijn geheugen hoorden.

Opeens drong er een streep fel licht naar binnen, de zware lap die de ingang bedekte openscheurend, die zwarte, duidelijk afgetekende schaduwen op de muren prentte. Het duurde maar enkele ogenblikken, maar net lang genoeg om de afbeeldingen die Kualids geest aan het tekenen was met een verblindend licht bruut te wissen. Daarna de explosie. Een harde klap die de lucht liet trillen en het witte licht verving door een naar rood neigende en trillende weerschijn, die de omtrekken van de schaduwen vervaagde en ze een golvende, haast vloeibare beweging gaf. Kualid haastte zich naar buiten om te zien wat er aan de hand was.

Op de weg beneden brandde een vuurbal, de dikke zwarte rook had dezelfde dichtheid als de vlammen en ging erin op alsof hij er tegelijkertijd door opgeschrokt en uitgespuugd werd.

De vuurbal spuwde twee silhouetten van bewegend vuur uit. Hij kon armen en benen onderscheiden die zich ongecoördineerd bewogen in een poging zich van de brandende kern te verwijderen, bijna alsof ze de vlammen ervan gestolen hadden en die wie weet waarheen wilden meenemen. Een van de gedaanten zakte vrijwel direct in elkaar, alsof hij onmiddellijk weer werd gegrepen door de vuurzee waaruit hij gevlucht was, maar de andere ging nog even door. Zijn koortsachtige bewegingen werden gaandeweg langzamer en onzekerder, zoals die van een dronkenlap, en hij struikelde meerdere keren voordat hij op de grond neerviel. De vlammen die hem bleven opslokken, vormden een kleine, flikkerende lichtkrans: het leek of hij nog bewoog, maar hij lag doodstil.

Tussen de gloed van het vuur kon Kualid het zwart geworden geraamte van het brandende busje zien. Hij hoorde niks anders dan het zachte geknetter van de vlammen. Daarna zag hij toen hij zijn ogen ophief tegen het donker van de hemel de nog donkerder schaduw van een helikopter die in de lucht stil hing. Het geluid van de schroefbladen die onzichtbaar draaiden, was nauwelijks hoorbaar.

Terwijl de gloed van het brandende busje doofde, richtte zijn blik zich omlaag, naar de vlakte waarop de stad zich uitstrekte. Het was alsof die door een zomerstorm werd overvallen, ook al was het hartje winter. Onverwachte witte lichtflitsen, zoals die die zijn kamer kort daarvoor waren binnengedrongen, lichtten laag en schitterend op, vlak boven de huizen. Ze werden er even door verlicht en een fractie van een seconde voordat ze uitgingen, ontstond er een schijnsel van een explosie van het punt waarop ze gericht waren. Flitsen en schijnsels volgden elkaar op en verlichtten steeds weer een ander gebied van de stad. Als gloeiend verspreide houtskool verlichtten ze de branden en verhinderden ze de duisternis van de nacht om weer bezit te nemen van Kabul. Vertraagd door de afstand mengde het aanrollende gedreun zich met de teruggekaatste echo van de bergwanden en ze vormden een voortdurend, constant gerommel, dat klonk als gereutel uit het binnenste van de vallei.

Bij het eerste licht van de dageraad leek alles te zwijgen. Een zware stilte, een deken zonder geluiden of klanken die alles afdekte. Kualids moeder werd door een uitputtende slaap overweldigd en hij maakte daar gebruik van om het huis uit te gaan en zich richting de grote weg te begeven. Hij moest naar Kabul, het moest echt. Hij vond een smoesje, voor zichzelf, om te controleren of de winkel van Babrak nog overeind stond, maar in werkelijkheid kon hij de opwinding en nieuwsgierigheid door die nacht vol flitsen en brandjes niet bedwingen.

Hij stopte voor het geraamte van het geraakte busje. De zwartgeblakerde, verwrongen staalplaten waren samengesmolten met vormeloze verkoolde klonters, waardoor de lucht eromheen gevuld werd met een olieachtige, scherpe geur. De glimlachende man zag hij pas nadat hij een paar stappen had gezet. Hij lag op zijn rug op de grond in een vreemde houding, met zijn armen in een boog omhoog, alsof hij iets wilde pakken. Wat er resteerde van zijn kleren, was met zijn verbrande vlees samengesmolten en was net zo zwart, zwart als zijn gezicht, dat uit teer gemodelleerd leek te zijn, slechts een vage vorm van een gezicht: zonder oren, zonder haar, een donker stompje op de plek van zijn neus. De huid op de jukbeenderen was teruggetrokken, waardoor zijn tanden, die door het contrast hagelwit leken, ontbloot waren, alsof hij glimlachte. Kualid ging niet dichterbij, even stelde hij zich voor dat die opgeheven armen hem wilden omhelzen en hij versnelde zijn pas, de man met de glimlach achter zich latend.

De eerste puinhopen van de stad onthaalden hem in hun doodse stilte, die nog sterker voelbaar werd door de rookwolken die uit enkele brandhaarden opstegen die nog tussen de hopen kalk woedden. De weg leek verlaten en de rijbaan was hier en daar vol wrakken van verwoeste voertuigen; verwrongen, absurde vormen die leken te zijn ontstaan uit de grote zwarte vlekken van het wegdek waarop ze lagen.

Af en toe kon je tussen de wrakken andere menselijke gestalten van teer onderscheiden, zoals die van de man met de glimlach.

Nu en dan kwam er een auto voorbij, die de wrakken ontweek.

Kualid besefte niet meteen wat die hopen vodden waren die langs de randen van de weg waren opgestapeld. Daarna zag hij dat er benen, armen, hoofden lagen. Het leek of een wilde rivier over de weg aan was komen rollen en dat zijn onstuimige stroom die lijken had weggevaagd en ze op de dijken had gesmeten.

Hij was niet bang. Net zoals er geluiden zijn met een frequentie die te hoog is om door het menselijk oor gehoord te kunnen worden, zo zijn er gruwelen die te erg zijn om werkelijk waargenomen te worden. En bovendien gaven die futloze, door elkaar gegooide lichamen hem niet het idee dat ze ooit levend waren geweest.

Hij was alleen benieuwd naar wie of wat ze op die vreemde manier had opgestapeld.

Twee reusachtige tanks verschenen ratelend en namen door hun omvang de weg volledig in beslag. De rupsbanden brachten een metalen geknars voort dat keihard weerklonk, boven het geronk van de motoren uit. Ze gingen langzaam vooruit, als oude lastdieren met botten die stijf geworden waren door artritis. De jongen ging opzij om ze langs te zien komen, oplettend dat hij niet te dicht bij de lijken ging staan die langs de rand van de weg lagen. Gehurkt op de geschutkoepels, zich vastgrijpend aan de ijzeren handgrepen, bedekten groepjes gewapende mannen vrijwel de gehele pantsers van de twee zware voertuigen. De lange affuit van het kanon leek uit het kluwen mensen te steken, of het te doorboren.

Ze hadden dezelfde baarden als de taliban in hun gezicht, dezelfde camouflagejacks over hun lange gewaden, dezelfde kalasjnikovs in hun handen, maar Kualid besefte meteen dat het om de moedjahedien uit het noorden ging door de ronde petten die ze bijna allemaal in plaats van een tulband droegen. Ze schreeuwden niet, ze maakten geen enkel juichend gebaar, ze leken eerder gespannen en nieuwsgierig om zich heen te kijken. Slechts één man, wiens blik even die van Kualid kruiste, tilde zijn arm op en maakte met zijn vingers het overwinningsteken, terwijl hij een vermoeide glimlach probeerde te maken. De jongen beantwoordde hem niet, hij zou er niet eens de tijd voor hebben gehad, want zijn gezicht verdween vrijwel meteen, samen met de andere gezichten, in een grote zwarte rookwolk uit de uitlaat van de tank, die zijn weg vervolgde.

Een pick-up stond stil op de kruising van twee wegen. Zo'n tien moedjahedien hadden een provisorische wegversperring gemaakt. In groepjes van twee of drie sloten ze de toegang tot de wegen die er samenkwamen af.

Kualid zag dat ze een oude gele auto die eruitzag als een taxi tegenhielden, een van de weinige die hij die hele ochtend voorbij had zien komen. De chauffeur stapte uit en liet het portier wijd openstaan. Het was een gezette man, van middelbare leeftijd.

Hij hield zijn handen niet in de lucht maar stond met zijn armen wijd, als iemand die zich verontschuldigt voor iets waarvoor hij geen verantwoordelijkheid draagt.

Kualid keek vanuit de verte toe en kon niet horen wat de man tegen de moedjahedienstrijder zei, maar zag alleen op zijn gezicht de geforceerde glimlach waarmee hij zijn angst probeerde te verhullen.

Met een onverwacht gebaar raakte de moedjahedienstrijder de man met een klap vol in zijn gezicht, de strijder die naast hem stond, gaf hem een klap tussen zijn nek en schouders, en andere moedjahedien begonnen op het groepje af te rennen. De man zakte al op de grond in elkaar toen Kualid zijn rug naar hem toe draaide en ervandoor ging, zonder te rennen en zonder zich om te draaien. Hij had zo'n tafereel al eerder gezien, hij herinnerde het zich maar al te goed, en de triestheid van die herinnering doofde in hem alle nieuwsgierigheid om wat er gebeurde.

Een van de grote kraters die de stad verscheurden en met gaten bezaaiden, lag niet ver van de winkel van Babrak. Maar het gebouw stond nog overeind. Kualid stopte ervoor, hij was blij en hij liep snel naar de deur.

Hij klapperde niet zoals de laatste keer dat hij er was geweest, hij zat dicht. Hij voelde een hevige schok, want binnen waren geluiden te horen.

Zou Babrak teruggekomen zijn? dacht hij, maar daarna maakte die weinige hoop plaats voor angst. Hij aarzelde voordat hij de deur opende en probeerde de geluiden die van binnen kwamen thuis te brengen.

Plotseling ging de deur wijd open. Kualid sprong achteruit en draaide zich om om het op een lopen te zetten, maar een hand pakte hem bij zijn schouder.

'En wat doe jij hier, jongen?'

Hij draaide zich om naar de moedjahedienstrijder die zijn schouder nog steeds vasthield. Hij was heel mager, maar een grijze, kroezige baard gaf zijn ingevallen wangen wat meer volume. Hij keek hem ernstig aan, met twee felgroene ogen.

'Ik ben schilder,' antwoordde hij, puttend uit de moed van het laatste beetje enthousiasme dat hij had gekregen toen hij de winkel onaangetast gevonden had. 'Ik werkte hier, vroeger werkte ik hier,' sloot hij af, terwijl hij zijn woorden een vastberaden toon probeerde te geven, maar die werd al door de angst vervormd.

'Goed, schilder, kom binnen.'

De moedjahedienstrijder duwde hem met een lichte druk van zijn hand die hij op zijn schouder hield het vertrek in. Kualid werd ineens omhuld door de rook die er hing. Een groepje van vier strijders had een vuur op de grond aangestoken met gebruik van het hout van de oude kasten van de kalligraaf.

Ze zaten er op hun hurken omheen en aten vlees van een ram en langwerpige, platte broden.

De jongen zag hun kalasjnikovs tegen de muur staan, niet ver weg.

'Broeders, ik stel jullie aan een schilder voor,' zei de moedjahedienstrijder die hem naar binnen had begeleid spottend.

De strijders draaiden zich toen om om hem te bekijken en Kualid voelde zich rood worden van schaamte. Maar zodra ze in een keihard gelach uitbarstten, veranderde de schaamte in boosheid en probeerde hij zich om te vluchten uit de greep van de moedjahedienstrijder te bevrijden door zich los te wringen.

'Hé, hé, wat een haast,' zei hij, terwijl hij zijn schouder nog iets steviger vastpakte. 'Ik wil niet dat je gaat rondvertellen dat de mannen van Jalil, dat ben ik trouwens, de heilige plicht van gastvrijheid niet nakomen. Wacht even.'

De moedjahedienstrijder liet hem los. Hij nam uit een pakje van stof een paar langwerpige broodjes en gaf ze aan de jongen. 'Neem dit geschenk aan,' zei hij glimlachend, 'en de vrede zij met je.'

Sprakeloos over zoveel geluk deed Kualid met het brood in zijn handen een paar passen naar achteren, richting de deur, bang dat het een grap was en dat ze hem zouden tegenhouden zodra hij zou proberen ervandoor te gaan.

Maar geen van de strijders kwam in beweging.

Toen hij op de drempel was, al half buiten, riep hij tegen hen: 'De vrede zij met jullie,' en daarna draaide hij zich om en begon te rennen.

Hij rende een flink stuk in de richting van de weg naar huis, ook al zat er niemand achter hem aan. Hij wilde die broodjes snel aan zijn moeder geven en haar zien glimlachen.

De buitenlanders kwamen later, in groten getale. Kualid had hen voorbij zien komen door de straten van de stad, die langzaamaan weer drukker werden, opgesloten in hun zandkleurige pantserwagens.

Colonnes pantserwagens die de menigte doorkliefden die de straten weer vulde.

Ook hun kleding had de kleur van zand, net als de helmen die ze op hun hoofd droegen. Hij had er maar weinig in hun gezicht gekeken, want hun monden waren vaak bedekt met een doek en hun ogen gingen schuil achter donkere zonnebrillen.

De mannen van zand stapten soms uit hun pantserwagens en liepen in groepjes een stukje over de weg, hun geweren omklemd, maar ze gingen nooit ver van hun stalen huizen. De mensen gingen opzij maar leken hen toch niet te zien, ze spraken niet met hen, ze stopten niet om hen te bekijken. Kualid was er in het begin vreselijk nieuwsgierig naar, maar bootste het gedrag van de anderen na en probeerde hen nooit te benaderen; hij bekeek hen stiekem, tot hij aan hun verschijning gewend was geraakt en er niet meer op lette. Bovendien ontbrak het in de dagen daarop niet aan nieuwtjes in de stad. Er kwamen nog meer buitenlanders, zonder zandkleurige uniformen ditmaal, en onder hen waren ook wat vrouwen met onbedekte gezichten. Sommigen droegen zelfs een broek.

Op een ochtend zag hij een groepje buitenlanders die

een groot voorwerp met een uitstekende buis op een drie-poot zoals die van de mitrailleurs hadden geïnstalleerd, maar dan kleiner en smaller. Toen ze de buis op een groepje met boerka's bedekte vrouwen richtten, was Kua-lid even bang dat ze met dat nooit eerder geziene wapen zouden gaan schieten. Maar op een gebaar van de man achter de driepoot tilden de vrouwen de sluier van hun gezicht en maakten ze met hun hand het overwinnings-teken. Daarna, terwijl de man het object van de steun haalde, gaf een andere buitenlander iets aan de vrouwen, die hun gezicht onmiddellijk weer bedekten en ervan-door gingen. Hij zag nog een paar keer buitenlanders met dat vreemde ding met die buis ervoor. Sommigen zetten het op een driepoot, anderen droegen het op hun schou-der en richtten het verschillende kanten op.

Het verkeer in het centrum van de stad was ontzet-tend druk geworden, niet meer alleen met zware fietsen en wrakkige gele taxi's. Er was een groot aantal gloed-nieuwe pick-ups bij gekomen, die op de portieren de symbolen en afkortingen van de meest uiteenlopende buitenlandse en non-gouvernementele organisaties had-den die uit een heleboel verre landen helemaal hierheen waren gekomen. De verkeersagenten met hun lange baarden en versleten grijze uniformen waren weer terug, maar ze leken verloren in die chaos en overspoeld door de verkeersopstoppingen die werden veroorzaakt door de militaire controleposten die op de kruisingen en rotondes waren neergezet.

Van bovenaf gezien leek Kabul echter hetzelfde als altijd: een hoop sedimenten die van de omliggende ber-gen neergestort waren om het dal, de teil, zoals Babrak het noemde, te vullen. En Kualid dacht juist aan Babrak terwijl hij naar de stad daar beneden keek.

Hij was niet meer naar de winkel van de kalligraaf geweest sinds de dag dat hij er de moedjahedien was tegengekomen, niet zozeer uit angst als wel omdat hij inmiddels begrepen had dat zijn vriend niet zou terugkomen en dat hij in de winkel alleen maar een beetje weemoed zou vinden.

De enige reden waarom hij er graag nog een laatste keer naartoe zou zijn gegaan, was de doos met tekeningen.

Wie weet of die daar nog verstopt ligt of dat iemand hem heeft gevonden, dacht hij. Maar ook al waren de taliban er niet meer, hij durfde niet te gaan zoeken.

Toen hij aan de doos dacht, herinnerde hij zich ineens de vlieger die Babrak hem cadeau had gedaan en die hij onder de stapel hout achter het huis had verstopt. Ook die zat in een doos.

Van de stapel waren nog maar een paar droge takken over, want de rest was verbrand voor het koken en verwarmen toen de kerosine op was. Kualid had de weinige takken die er nog op lagen opzijgeschoven en de doos geopend. Hij had de doek uitgerold waarin hij hem ter bescherming had gelegd en hij had de goudgele vlieger met de twee ronde ogen weer in zijn handen.

Aan een uiteinde van de stokjes zat een rolletje dun draad vastgemaakt.

Ja, nu dacht hij zich te herinneren dat hij was gaan rennen met de draad tussen zijn vingers... Hij rende op de open vlakte, richting het wrak van de oude Russische tank... Hij herinnerde zich zelfs dat de vlieger helemaal niet wilde vliegen, hij draaide om zichzelf heen, op palmboomhoogte van de grond, klapwiekend als een duif met afgekapte vleugels. Waarom zag hij hem dan nu hoog voor zich?

Hij had een droge mond, die lijmachtig aanvoelde, en zijn slapen hamerden.

Hij wilde net zijn ogen uitwrijven om het beeld van de vlieger scherper te zien en het te proberen te begrijpen, maar iets wat in de holte van zijn arm stak, verhinderde zijn beweging.

Ja, de vlieger klapperde, maar wat was er daarna gebeurd?

Misschien een flits, een verblindende flits. Het was het enige wat hij zich leek te herinneren, maar hij wist het niet zeker. Het was alsof de beelden van zijn herinneringen in een donker vertrek weggleden, waarbij ze hun vorm en contouren verloren, en ernaar kijken veroorzaakte een lichamelijke pijn. Bijna zoals de scherpe pijn die hij aan zijn linkerbeen voelde. Maar de gele vlieger met ronde ogen die hij aanstaarde, bewoog niet, hij stond doodstil op de muur.

De muur, de tekeningen, het ziekenhuis… Terwijl hij zich inspande om zijn blik te draaien, zag Kualid ook de wolken, en daarna de vogels, allemaal met ronde ogen. Een hand haalde zijn haar met een aai door de war. Hij draaide zich om en onderscheidde vaag een blonde vrouw die naar hem toe boog. Daarna voelde hij een kort brandend gevoel op zijn arm, niet veel meer dan een steek van een insect. Daarna zag hij niets meer, noch de gele vlieger, noch de wolken met de ogen als ballen, noch de blonde verpleegster die zijn laken opzijschoof om het verband te controleren van de stomp van zijn linkerbeen, dat boven zijn knie geamputeerd was. Hij viel in een diepe slaap. Zonder dromen.

Dankbetuiging

Dank aan Carlo Musso, anders had ik dit boek echt nooit geschreven.

Dank aan Maya.

En dank aan al het personeel van Emergency, en in het bijzonder aan de voorzitter Teresa Sarti.

Lees ook van Karakter Uitgevers B.V.

VAURO SENESI

De windacrobaat

'Wat een ongelooflijk indrukwekkend boek, het blijft je bij. Dit boek verdient aandacht!' – *Heleen Silvis*

In de gloed van de bombardementen die zich aftekent tegen de hemel van Bagdad, loopt Fahim over de dakterrassen van de stad. Geen stemmen, nauwelijks geluiden, enkel wat doffe donderslagen, die met tussenpozen op de achtergrond weerklinken. De jongen gaat in het niets voort, als een luchtspiegeling; dan pakt hij een lange, dunne stok, die hij achter een muurtje verborgen heeft. Zodra hij de stok opheft, fladderen tientallen duiven uit het niets omhoog en beginnen te dansen rond de stok, op het ritme van een muziek die niemand kan horen.

Fahim, die op jeugdige leeftijd zijn gehoor heeft verloren, staakt plotseling zijn bewegingen en kijkt naar de hemel. Een wit veertje dwarrelt omlaag en hij opent zijn hand om het op te vangen. Een simpel gebaar dat hem terugbrengt naar de tijd toen hij nog een kind was. Naar de dag dat zijn broer Ali hem een zelfgemaakte katapult cadeau deed om hem uit zijn dagdromen te halen. Dat is de dag waarop alles veranderde. Een klein drama te midden van de grote drama's van het door oorlog geteisterde Irak, maar wel een gebeurtenis die zijn leven voor altijd verandert en een weg voor hem afsluit en andere, onverwachte wegen opent.

De windacrobaat is de eerste roman van de Italiaanse journalist en politiek cartoonist Vauro Senesi, waarvan in Italië meer dan 30.000 exemplaren zijn verkocht. *De windacrobaat* vertelt het verhaal van de dove Irakese Fahim en zijn familie tegen een achtergrond van oorlog en geweld.

ISBN 978 90 6112 478 8